Répertoire d'architecture traditionnelle
sur le territoire
de la Communauté urbaine de Montréal

ARCHITECTURE INDUSTRIELLE

AVANT-PROPOS

Depuis un quart de siècle la société québécoise manifeste une sorte d'envoûtement pour le passé. Son attention se porte sur l'héritage culturel qu'on retrouve dans l'art sous toutes ses formes.

L'architecture a joué un rôle essentiel dans l'art. Elle constitue un acte créateur et elle est un puissant mode d'expression. Aussi, est-elle exceptionnellement évocatrice du temps et de son esprit. Elle est la manifestation de la pensée, des sentiments, des goûts et des préoccupations de la société. Elle est le reflet de sa puissance, de son prestige, de ses aspirations, de ses succès.

Dans l'art de construire, il y a plus que les techniques de construction et l'utilisation des matériaux qui entrent en ligne de compte. Il y a forme, lumière, richesse, style, beauté, élégance.

J'ai la conviction que le lecteur le découvrira dans la lecture de ce cahier et qu'en plus de ressentir un profond intérêt pour les monuments et les ensembles architecturaux qui font partie de notre héritage culturel, il trouvera un nouveau sens à l'histoire.

Le Président du Comité exécutif
de la Communauté urbaine de Montréal
Pierre Des Marais II

PRÉFACE

Le ministère des Affaires culturelles est heureux de voir paraître aujourd'hui cet ouvrage, fruit d'une initiative de la Communauté urbaine de Montréal pour faire connaître l'architecture de son territoire et y sensibiliser les instances locales.

La thématique exposée dans ce recueil, soit celle des bâtiments industriels, traduit une réalité historique, fonctionnelle et architecturale en soi. Elle témoigne de la présence d'institutions sociales, politiques et administratives, de plus, elle porte la trace de plusieurs courants architecturaux. Elle participe, en outre, à la composition de l'ensemble des éléments urbains, partageant leur dynamique visuelle et leur vulnérabilité et enrichissant leur image par sa valeur symbolique.

Le sort que réservent les principaux agents du territoire à ce type d'architecture et le souci qu'ils manifesteront à le mettre en valeur et à le recycler plutôt que de le voir éventuellement disparaître, tiennent dans une large part à la connaissance qu'ils en auront.

Aussi, la Direction générale du patrimoine a-t-elle accepté d'apporter son concours à la Communauté pour qu'elle poursuive ses recherches et les diffuse; ce geste s'inscrit dans la poursuite d'un objectif de prise en charge par les instances locales et régionales de leur patrimoine et permet l'implication de partenaires nouveaux. C'est en effet par la concertation des efforts et la volonté commune des agents de planification et de transformation du territoire que les villes pourront prendre une image plus humaine, intégrant à leur dynamique d'avenir les éléments qui auront façonné leur image passée.

Bernard Ouimet
Directeur général du Patrimoine
Ministère des Affaires culturelles

INTRODUCTION

Le Service de la planification de la Communauté urbaine de Montréal dresse depuis quelques années un répertoire de l'architecture traditionnelle sur son territoire.

L'une des propositions du schéma d'aménagement de la Communauté urbaine de Montréal est à l'effet d'établir un inventaire des monuments et des ensembles qui font partie de notre patrimoine culturel afin de nous permettre d'intervenir en vue d'assurer leur protection (art. 16). Loin d'être écartée lors des audiences publiques tenues en vertu de la Loi de la Communauté, cette proposition a été plutôt élargie et renforcée tant dans le rapport de la Commission d'étude du schéma d'aménagement que dans le rapport de la Commission sur l'évaluation financière et les incidences économiques du schéma d'aménagement[1]. Cette proposition fut reprise dans le rapport du Sous-comité des objectifs du schéma d'aménagement, et elle fut à nouveau confirmée, précisée et étendue quant à l'établissement de dispositions spéciales en vue de la protection du patrimoine immobilier[2].

L'objectif du travail est donc d'établir un inventaire des immeubles qui présentent un intérêt esthétique et illustrent une époque (lointaine ou récente) du passé montréalais. Le répertoire d'architecture traditionnelle avait d'abord été conçu comme un fichier pouvant être consulté par les professionnels de la planification et les chercheurs, et n'était pas destiné à être publié. Ce n'est que suite à de nombreuses demandes qu'il a été décidé de publier le répertoire avec, pour certains des thèmes traités, une participation financière du ministère des Affaires culturelles.

L'inventaire s'arrête aux bâtiments d'inspiration traditionnelle et ne couvre pas l'architecture contemporaine. Il n'y a pas de limite à la survivance d'une tradition mais, en pratique, l'essentiel a été, pour nous, dit avant 1939: la reprise de la construction après la dernière guerre est dominée par de nouvelles tendances et une nouvelle technologie qui tournent le dos à une longue tradition.

Le travail avait été divisé à l'origine en douze sections traitant chacune d'un domaine bien défini de l'architecture traditionnelle et devant chacune faire l'objet d'un cahier. Jusqu'à maintenant, cinq de ces cahiers ont été publiés, soit ceux portant sur les églises, les édifices publics, les édifices scolaires, les banques et l'architecture industrielle. Suite à un pré-inventaire de l'architecture commerciale, nous avons dû, à cause du trop grand nombre de bâtiments, diviser en trois cahiers (plutôt qu'en deux) le thème de l'architecture commerciale.

---

1. «Que la Communauté réalise un inventaire de son patrimoine architectural et prépare, en collaboration avec les municipalités de son territoire, un programme de conservation de ce patrimoine.» Art. 21.

2. Considérant que «la protection du patrimoine immobilier... exige des pouvoirs accrus et l'établissement de dispositions spéciales qui permettront à la Communauté d'exercer le contrôle nécessaire», il est recommandé de «poursuivre l'inventaire d'architecture traditionnelle.» Art. 29.

Le nombre total de cahiers est donc porté à treize:

Architecture religieuse I — Les églises

Architecture religieuse II — Les couvents

Architecture militaire

Architecture civile I — Les édifices publics

Architecture civile II — Les édifices scolaires

Architecture industrielle

Architecture commerciale I — Les banques

Architecture commerciale II — Hôtels, immeubles de bureaux

Architecture commerciale III — Magasins-entrepôts, grands magasins, bâtiments mixtes, théâtres et cinémas

Architecture domestique I — Les hôtels particuliers

Architecture domestique II — Immeubles d'habitation, maisons en rangée

Architecture rurale

Architecture commémorative, votive et funéraire

LE CAS PARTICULIER DE L'ARCHITECTURE INDUSTRIELLE

De tous les cahiers qui ont été publiés jusqu'à maintenant, c'est celui de l'architecture industrielle qui a demandé le plus de travail. Il est en effet notoire que l'information sur les églises, les écoles et les édifices publics est, de façon générale, abondante et facilement accessible parce que ces thèmes ont déjà fait l'objet d'études de chercheurs en architecture et en histoire de l'art.

Par contre, l'architecture industrielle a jusqu'à maintenant été oubliée par les chercheurs et le Service de la planification de la Communauté urbaine a dû faire office de pionnier dans cette dimension pourtant fort importante de l'histoire de l'architecture montréalaise. Le lecteur ne devra donc pas s'étonner du fait que certaines informations manquent: la rareté et la très grande dispersion des sources, surtout dans le cas des petites entreprises, font que certaines fiches restent incomplètes.

Il faut comprendre que plusieurs des bâtiments industriels n'ont pas été conçus par des architectes: à préoccupation plus fonctionnaliste et économique qu'esthétique, l'architecture industrielle a souvent été confiée aux ingénieurs et aux techniciens.

Enfin, de tous les édifices répertoriés jusqu'à maintenant, les bâtiments industriels sont, de loin, ceux qui ont été le plus souvent agrandis ou transformés et qui ont le plus souvent changé d'occupant ou de fonction. Plusieurs des modifications architecturales associées à ces changements ont souvent été faites à la hâte par des industriels moins préoccupés par un souci d'esthétique que par l'urgence d'agrandir ou de réorganiser leurs bâtiments pour contrer la concurrence, changer leurs techniques de production ou répondre rapidement à une augmentation de la demande pour leurs produits.

Sur un autre plan, l'une des difficultés qui ne s'est pas posée dans la préparation des cahiers précédents est la définition exacte du thème de la fonction d'origine faisant l'objet du cahier. Quand on traite des banques, des églises ou des édifices scolaires, la classification d'un bâtiment d'après sa fonction d'origine s'impose d'elle-même. Dans le cas des bâtiments industriels et commerciaux, la frontière exacte est plus difficile à établir. Cette difficulté se pose particulièrement pour les bâtiments à fonctions mixtes de fabrication, d'entreposage et de vente en gros, fort nombreux dans le Vieux Montréal.

Le premier réflexe a été de n'accepter comme industriels que les bâtiments servant à des fonctions de fabrication ou d'assemblage, comme par exemple les fabriques de chaussures, les fonderies ou les brasseries, et de reléguer aux cahiers portant sur l'architecture commerciale tous les bâtiments utilisés principalement pour le commerce ou l'entreposage. Que faire alors d'un atelier de confection et de vente en gros ou, mieux encore, d'un bâtiment d'architecture industrielle mais servant uniquement à l'entreposage et à la manutention comme les élévateurs à grains ou les entrepôts réfrigérés du port de Montréal.

En réponse à ce problème, nous avons considéré comme industriel tout bâtiment où la principale fonction est la fabrication, même si le bâtiment est aussi utilisé pour l'entreposage et même, accessoirement, pour la vente en gros, de même que tout bâtiment dont la principale fonction est l'entreposage, à la condition qu'il soit d'architecture industrielle. Par contre, un établissement dont la principale raison d'être est la vente (en gros ou de détail), même s'il sert accessoirement à l'entreposage et même à certaines activités de confection ou d'entretien, sera répertorié aux cahiers des bâtiments commerciaux.

LES CRITÈRES DE SÉLECTION DES BÂTIMENTS RÉPERTORIÉS

À la lecture des textes d'introduction des cahiers déjà publiés, il ressort que le but visé par le Répertoire d'architecture traditionnelle est de dresser un inventaire du patrimoine architectural pour le mieux protéger en le faisant connaître et en suscitant même certaines interventions de la part des pouvoirs publics pour assurer sa mise en valeur.

La méthodologie qui a servi à la sélection des bâtiments répertoriés est sensiblement la même d'un cahier à l'autre, et privilégie la dimension architecturale du patrimoine bâti, alors que les études plus récentes, notamment les macro-inventaires du ministère des Affaires culturelles et de la Ville de Montréal, nous habituent à une perception plus large du patrimoine. Cette vision élargie tient compte, bien sûr, de l'intérêt architectural d'un édifice donné, mais aussi de son importance dans les dimensions sociale et culturelle, économique et même politique de l'histoire de la Ville.

Au moment d'aborder les thèmes de l'architecture industrielle et commerciale, pour lesquels la sélection est plus difficile parce que les bâtiments sont nombreux et parce que la plupart ont subi beaucoup de transformations, nous avons senti le besoin de nous rapprocher de cette conception élargie du patrimoine. C'est ainsi que nous serons amenés à répertorier des édifices qui ne sont pas nécessairement du plus grand intérêt architectural mais qui sont importants pour leur signification dans l'histoire montréalaise.

Nous avons donc élaboré une liste de critères de sélection qui découlent de cette approche élargie de l'architecture patrimoniale et confronté systématiquement chaque édifice considéré à chacun des critères avant d'en recommander la sélection. Un édifice est considéré comme éligible s'il satisfait de façon générale à l'ensemble de ces critères ou s'il satisfait avec force à l'un ou plusieurs sans contrevenir aux autres de façon flagrante.

Ces critères s'énoncent comme suit:

intérêt architectural

importance de l'architecture ou de l'édifice en question dans l'œuvre de l'architecte;

valeur didactique: représentativité d'un style répandu à une époque donnée ou originalité du style pour l'époque;

plastique architecturale: expression d'une volonté d'esthétique par le style, le décor, la rythmique ou le choix ou l'appareillage du matériau;

caractère innovateur d'un matériau ou d'une technique structurale.

intérêt historique

ancienneté absolue, ancienneté relative ou évocation d'une époque révolue;

continuité de la fonction: le fait qu'un édifice soit encore utilisé aux fins pour lesquelles il a été construit, préférablement par l'occupant d'origine;

importance de l'entreprise dans l'histoire socio-économique du quartier.

intérêt urbanistique

intégration fonctionnelle (zone industrielle du canal de Lachine, par exemple);

complémentarité urbaine: développement industriel et résidentiel intégré (le seul exemple répertorié est celui du Garden City Press et du lotissement résidentiel du Garden City à Sainte-Anne-de-Bellevue);

intégration visuelle: respect de l'échelle du quartier, alignement de façades, unité de matériau avec les autres bâtiments de l'ensemble;

perceptibilité: implantation dégagée qui permet d'apprécier l'architecture du bâtiment;

point de repère.

L'évaluation du bâtiment par rapport à ces critères doit être pondérée en fonction de l'état de transformation et de détérioration du bâtiment. Il pourra cependant arriver qu'en raison d'un critère particulier un bâtiment en état de détérioration avancée doive quand même être retenu pour les raisons que nous avons énoncées plus haut.

Enfin, dans l'ordre de présentation des fiches, les bâtiments ont été regroupés en six ensembles géographiques avec, pour chacun des ensembles, une carte-repère des bâtiments répertoriés. Mis à part le fait que la plupart de ces ensembles correspondent à des réalités, cette formule devrait faciliter l'utilisation du répertoire par celui qui veut se faire un itinéraire ou par celui qui sait où se trouve le bâtiment, mais n'en connaît pas le nom d'origine.

HISTORIQUE

Bien que l'histoire de l'architecture montréalaise doive remonter, comme il se doit, jusqu'aux débuts de la colonie, notre recherche n'a pu aller plus loin que le début du XIXᵉ siècle, période à laquelle ont été construits les plus vieux spécimens d'architecture industrielle encore existants qu'il nous a été donné de répertorier.

Si l'essentiel de notre travail a porté sur les bâtiments construits au moment de la révolution industrielle, soit durant la deuxième moitié du XIXᵉ siècle, il n'en demeure pas moins que l'histoire montréalaise a connu, dès le XVIIIᵉ siècle, des entreprises qui, par l'ampleur de leurs installations, l'importance des ouvrages de génie qu'elles ont nécessités et le fait que leur production ait dépassé le simple stade de l'artisanat, méritent d'être reconnues comme de véritables complexes industriels. C'est le cas des moulins du Sault-au-Récollet, dont il ne reste malheureusement que quelques vestiges, mais qui avaient impliqué la construction d'une digue de plus de 330 pieds de longueur qui a permis, à une certaine époque, l'exploitation simultanée de cinq moulins.

Mais, dans l'histoire de Montréal, l'eau n'a pas joué qu'un rôle de source d'énergie: il faut se rappeler que Montréal, c'est d'abord cette grande voie de communication qu'est le fleuve Saint-Laurent, et que c'est dans le domaine du développement industriel (et, bien sûr, commercial) que cette réalité s'exprime avec le plus de vigueur. C'est donc depuis le fleuve que se développera la vocation industrielle de Montréal, autant comme centre de transbordement et d'entreposage que comme site privilégié pour la production industrielle.

Les plus vieilles entreprises industrielles montréalaises encore en exploitation aujourd'hui sont les brasseries: la Molson qui, dès 1786, s'est installée sur le site qu'elle occupe encore, au Pied-du-Courant Sainte-Marie, la William Dow (devenue depuis la brasserie O'Keefe), fondée à La Prairie en 1790, et qui s'est installée en 1808 sur le site qu'elle occupe toujours, et, enfin, la Dawes, établie à Lachine en 1811 et amalgamée depuis à la National Breweries.

L'architecture industrielle qui nous est restée du XIXᵉ siècle est aussi dominée par une autre fonction très importante: l'entreposage. L'entrepôt de fourrures construit en 1803 à Lachine pour Alexander Gordon et qui passera par la suite à la Compagnie de la Baie d'Hudson en est un excellent exemple. Mais la vocation de Montréal comme centre de transbordement et de distribution de matières premières et de produits manufacturés s'est véritablement concrétisée avec l'ouverture, en 1825, du canal de Lachine. Les exemples les plus intéressants d'architecture d'entreposage qui nous sont parvenus sont pour la plupart situés au point de jonction entre le canal de Lachine et le port de Montréal. Ce sont les hangars à potasse des frères Bouthillier, connus sous le nom des Écuries d'Youville (1827), les entrepôts Blaiklock (1846), rue de la Commune, face au port, les entrepôts Isaac Buchanan et Turton Penn (vers 1831), de William Dow (vers 1844) et de William Busby Lambe (1857).

L'architecture des brasseries et des entrepôts de la première moitié du XIXe siècle est d'un type vernaculaire dérivé de l'architecture domestique. L'usage de la pierre est constant.

Mais la véritable mise en valeur du canal comme axe privilégié de développement industriel s'est concrétisée avec son élargissement, réalisé de 1843 à 1848, et qui a permis d'augmenter sensiblement sa capacité. De plus, la suggestion de l'ingénieur responsable des travaux, E. A. Barrett, d'utiliser l'énergie hydraulique du canal à des fins industrielles a permis de rentabiliser davantage les travaux d'élargissement. En fait, l'axe du canal de Lachine allait devenir le premier centre industriel urbain du Canada et cette importance fut reconnue par son classement, en 1939, comme site historique national.

Le complexe industriel du canal de Lachine s'étend du bassin Wellington et de la limite ouest du Vieux Montréal (rue McGill) jusqu'à Lachine, mais les bâtiments intéressants se concentrent surtout dans les quartiers Saint-Joseph ou des Récollets, Sainte-Anne, Pointe Saint-Charles, Sainte-Cunégonde, Côte Saint-Paul et Saint-Henri. Les bâtiments qui nous sont parvenus représentent à peu près tous les types d'industries. On y retrouve de l'industrie lourde, comme les fonderies de la St. Lawrence Engine Works (1854), de Ives and Allen (1864), de Darling Brothers (1909) et de la Steel Company of Canada (1910), sans oublier la fabrique de cloches de Charles Orlando Clark (vers 1893). L'industrie alimentaire est aussi présente avec le vaste complexe de la raffinerie Redpath (1854) et les moulins de la A. W. Ogilvie (1886), de même que l'industrie du vêtement, avec la Belding, Paul and Company (1884), la Gault Brothers (1901), et, plus à l'ouest, la Mount Royal Spinning Wool (1908) qui est devenue depuis la Dominion Textile.

Le complexe du canal de Lachine comprend aussi de nombreux établissements spécialisés comme la Robin and Sadler (1893) qui fabriquait des courroies d'entraînement, la Phillips Electrical Works (1888), la Canadian Switch and Spring (1898), de même que l'important complexe de la Northern Electric (1913). De plus, la concentration d'industries dans ce secteur a amené l'établissement d'activités de support comme la New City Gas (1859), la Royal Electric (1902) et la Montreal Light Heat and Power (1928) qui nous ont laissé de bons exemples de l'adaptation du vocabulaire de l'architecture industrielle traditionnelle à des fonctions nouvelles.

Enfin, la consécration du secteur du canal de Lachine comme zone privilégiée de développement industriel en cette deuxième moitié du XIXe siècle a forcément influé sur l'organisation des réseaux de chemin de fer mais, fait encore plus important, a amené la création des villes ouvrières de Sainte-Cunégonde, Pointe Saint-Charles, Côte Saint-Paul et Saint-Henri qui occupent une place importante dans l'histoire ouvrière montréalaise.

L'architecture industrielle du secteur du canal de Lachine est typique de la révolution industrielle et correspond à ce que les Anglais ont appelé, avec raison, une architecture d'ingénieurs, dont le prototype est l'édifice des St. Katharine's Docks, construit en 1824-28 à Londres, de Thomas Telford. Guidés plus par des objectifs d'efficacité et d'économie que par des grands principes d'esthétique, les industriels de la deuxième moitié du XIXe siècle nous ont laissé une architecture fonctionnaliste, en vertu de laquelle le bâtiment se développe à partir de l'intérieur, selon un plan adapté d'abord aux besoins de la production, où la flexibilité est assurée par une structure à poutres et colonnes qui vient invariablement s'exprimer dans l'enveloppe extérieure de brique par la rythmique de la fenestration et, occasionnellement, des pilastres ou des arcades aveugles.

Parallèlement à celui du canal de Lachine se développe un autre secteur industriel important de Montréal, cette fois à partir du noyau formé par la brasserie Molson et la fonderie Sainte-Marie, avec l'agrandissement du port vers l'est. C'est d'abord la Canadian Rubber, en 1853, qui emploie 150 personnes, puis la W. C. MacDonald's Tobacco (1874), et la filature Sainte-Anne (1882), qui amèneront le développement d'une nouvelle ville ouvrière, Hochelaga, qui sera incorporée à Montréal en 1883.

La même année est aussi créée la municipalité de Maisonneuve qui, à compter de 1885, instaurera un régime d'exemption de taxes pour attirer de nouvelles industries. C'est ainsi que s'établiront à Maisonneuve la raffinerie de la St. Lawrence Sugar (1887), la fabrique de papier peint Watson Foster (1896), la fonderie Warden King (1903) et la biscuiterie Viau (1906).

De 1906 à 1915, dix-huit autres entreprises seront attirées par les privilèges fiscaux: on qualifiera même Maisonneuve de «Pittsburg du Canada». C'est durant cette période que se confirmera d'ailleurs la vocation de Maisonneuve comme centre de l'industrie de la chaussure avec des établissements tels Dupont et Frères, Poliquin et Gagnon, James Muir et United Shoe Machinery.

Bien qu'à l'instar de celle du secteur du canal de Lachine l'architecture du secteur Hochelaga-Maisonneuve soit dominée par une préoccupation essentiellement fonctionnaliste, elle n'en comporte pas moins quelques exemples d'une architecture plus recherchée. Dans cet esprit on retiendra la façade de pierre de la brasserie Molson, de l'architecte bostonnais Hettinger, le style Second Empire de l'édifice de la Canadian Rubber qui était, à l'origine, flanqué de pavillons latéraux et arborait une mansarde percée de lucarnes, et, surtout, l'élégance de la Renaissance italienne de la MacDonald's Tobacco.

Mais le secteur le plus riche en architecture industrielle ancienne reste le centre-ville, qui s'est développé depuis le secteur dit du Vieux Montréal vers le nord jusque dans les quartiers Saint-Louis et Saint-Laurent et même la ville d'Outremont. Si les grandes entreprises manufacturières ont dû s'établir à proximité du port ou le long du canal de Lachine ou des grands axes des chemins de fer, le centre-ville n'en a pas moins connu, tout au long de son histoire, une activité industrielle importante, plus légère et plus spécialisée. Les grands noms de l'architecture industrielle du centre-ville sont la papeterie J. C. Wilson, les imprimeries de la Southam, du *Montreal Herald* et de la *Gazette* (Desbarats Building), toutes regroupées sur le «Paper Hill», les bâtiments construits à des fins locatives à des occupants multiples, surtout de l'industrie du vêtement, comme les édifices de George Hodge and Sons, les édifices Gillette, Wilson, Unity, Vineberg, Sommer, Belgo et Read. Le centre-ville a aussi eu droit à quelques entreprises spécialisées comme Bell Telephone, Canadian Cork Cutting et la fabrique de cigares L.-O. Grothé, une laiterie (la Guaranteed Pure Milk) et une brasserie (la Ekers).

Ce qui caractérise cependant l'architecture industrielle du centre-ville, c'est qu'elle dénote plus de recherche: pratiquement tous les édifices répertoriés sont signés par des architectes. Cette réalité reflète, bien sûr, la volonté de créer une bonne impression de la part de toute entreprise qui s'établit au cœur du quartier des affaires, mais aussi le fait que les idées ont suivi le courant des échanges commerciaux. On ne saurait en effet nier l'importante influence de l'approche néo-romane de Henry Hobson Richardson sur ces superbes réalisations que sont l'édifice Wilson de la rue Saint-Antoine (J. W. et E. C. Hopkins, 1880) ou la brasserie Ekers (Dunlop et Heriot, 1894). Comment ne pas voir de parenté entre l'œuvre de Louis Sullivan (Wainwright Building de St. Louis, 1891, Guaranty Building de Buffalo, 1895) et tous ces édifices en hauteur des années 1910-12 comme les édifices Gillette, Wilson (rue de La Gauchetière), Unity, Vineberg et Sommer?

Enfin, ce répertoire ne serait pas complet s'il ne traitait pas de ces quelques réalisations en dehors des grandes concentrations industrielles et que nous avons regroupées, faute de mieux, dans un secteur dit «de la périphérie». On y retrouvera, entre autres, une œuvre d'Ernest Cormier pour la Compagnie aérienne franco-canadienne de Pointe-aux-Trembles (1929), dans la lignée des hangars d'Eugène Freyssinet pour l'aéroport d'Orly (1916), l'ensemble du Garden City Press de Sainte-Anne-de-Bellevue (1918) et, enfin, l'édifice en béton armé de la Burroughs, Wellcome (Ville LaSalle 1930), réalisation charnière à l'aube de l'architecture contemporaine.

INDEX

Répertoire d'architecture traditionnelle
sur le territoire
de la Communauté urbaine de Montréal

ARCHITECTURE INDUSTRIELLE

SECTEUR DU VIEUX MONTRÉAL

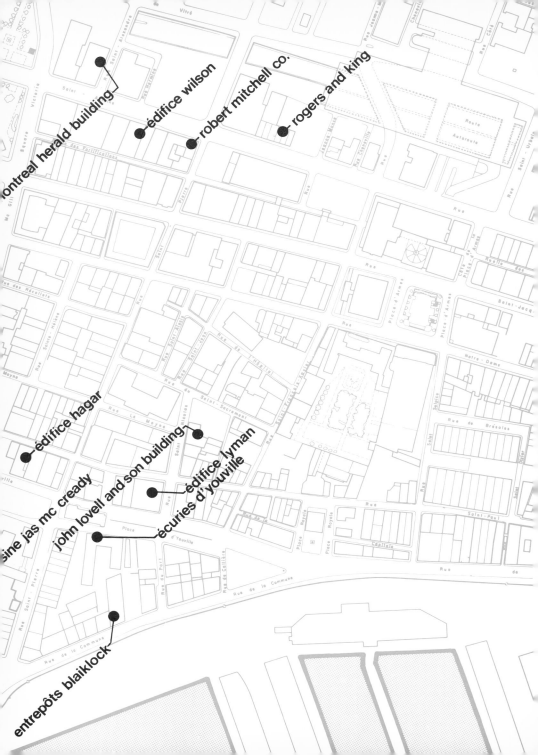

montreal herald building

édifice wilson

robert mitchell co.

rogers and king

édifice hagar

usine jas mc cready

john lovell and son building

édifice lyman

écuries d'youville

entrepôts blaiklock

ateliers thomas hood

ENTREPÔTS BLAIKLOCK

295-325, rue de la Commune, Montréal   photo 1982

Propriétaire: Les Écuries d'Youville Ltée
                 Société Canadienne d'Hypothèques et de Logement —
                 Projet du Vieux Port
Superficie du terrain: 4 914 m^2
Superficie de plancher des bâtiments: 8 174 m^2
Superficie de plancher des bâtiments historiques: 8 174 m^2

Les entrepôts de la rue de la Commune (ancienne Water Street) tiennent leur nom des frères Blaiklock qui, selon le *Dominion Illustrated* de 1891, y exploitaient une entreprise d'import-export et de courtage en douanes. Les entrepôts avaient auparavant servi de douanes subsidiaires, jusqu'à l'ouverture de la douane de la Pointe à Callière en 1873.

La partie est des entrepôts fait partie du projet de restauration des Écuries d'Youville, alors que la partie ouest a été acquise par le Gouvernement fédéral dans le cadre du programme de réaménagement du Vieux Port de Montréal.

6

Années	Étapes de construction
1846-57	construction[1]
1978	incendie[2]

1. *Le Vieux Port de Montréal,* Gouvernement fédéral, Vol. 1, n° 2, novembre 1978
2. *Le Devoir,* 1er août 1978

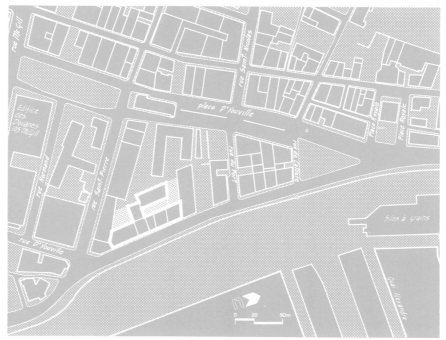

LES ÉCURIES D'YOUVILLE

216-246, place d'Youville, Montréal

photo 1978

Propriétaire: Les Écuries d'Youville
Superficie du terrain: 8 129 m²
Superficie de plancher du bâtiment: 17 520 m²
Superficie de plancher du bâtiment historique: 17 520 m²

Les Écuries d'Youville étaient en réalité des hangars à potasse qu'avaient fait construire les frères Jean et Tancrède Bouthillier. L'ensemble a été restauré et converti en bureaux. La restauration a bien mis en valeur l'intérêt didactique de cet ensemble du début du XIXe siècle et a su exploiter certains éléments d'origine comme les lucarnes à palan et la porte cochère qui donne sur la place d'Youville. Les hangars à potasse des frères Bouthillier ne constituent qu'une partie du vaste complexe dit des «Écuries d'Youville» dont la restauration a été entreprise en 1967 et qui comprend entre autres les entrepôts Blaiklock dont il est aussi traité dans le présent répertoire.

Années	Étapes de construction		Entrepreneurs
1827	construction[1]		Thomas McKay et John Redpath, maçons[1]
1828	construction[2]		Thomas McKay et John Redpath, maçons[2]
1967	restauration[3]		

1. Archives nationales du Québec, N.B. Doucet, 31 août 1827, minute n° 14744
2. Archives nationales du Québec, N.B. Doucet, 31 août 1828, minute n° 15706
3. Service des permis et inspections de la Ville de Montréal

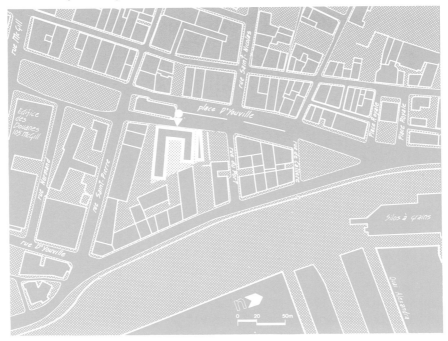

ÉDIFICE HAGAR

367-373, place d'Youville, Montréal

photo 1982

Propriétaire: A. Courey
Superficie du terrain: 577 m²
Superficie de plancher du bâtiment: 2 335 m²
Superficie de plancher du bâtiment historique: 2 335 m²

dessin 1856

374-384, rue Saint-Paul ouest,

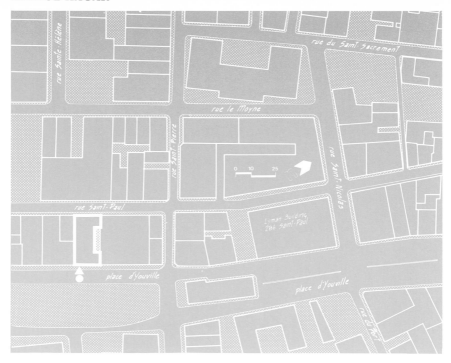

L'édifice construit en 1855 par l'architecte John Springle pour la quincaillerie de Geo. Hagar a ceci de particulier qu'il a façade à la fois sur la rue Saint-Paul et sur la place d'Youville et que les deux façades sont identiques. Il a longtemps été occupé par la manufacture de chemises des frères Tooke, jusqu'à ce que ceux-ci fassent construire leur propre usine sur la rue de Courcelle, plus à l'ouest.

L'édifice Hagar a une structure de poutres et colonnes et une façade à ossature de pierre, selon la formule développée par le Bostonnais Alexander Parris pour les magasins du Quincy Market en 1824. Comme en témoigne une gravure de l'annuaire Mackay de 1856, le bâtiment n'avait à l'origine que quatre étages.

Années	Étapes de construction	Architecte	Entrepreneur
1855	construction[1]	James Springle[1]	Noah Shaw entrepreneur[1]
Vers 1880	un étage ajouté		
Vers 1975	changement des fenêtres		

1. Archives nationales du Québec, T. Doucet, 1 mars 1855, minute n° 8427A

ATELIERS THOMAS HOOD

photo 1982

410-416, rue du Champ-de-Mars, Montréal

Propriétaire: John C. Calcutt
Superficie du terrain: 213 m²
Superficie de plancher du bâtiment: 400 m²
Superficie de plancher du bâtiment historique: 400 m²

Rare exemple d'architecture industrielle dans l'oeuvre de William Footner, la fabrique de pianos-forte de Thomas Hood est particulièrement intéressante pour la grande sobriété et l'équilibre de composition de sa façade.

À l'origine, le propriétaire habitait le premier étage alors que la fabrication et l'entreposage devaient se faire à l'arrière, dans les ateliers et les entrepôts auxquels on accédait par une porte-cochère.

Années	Étapes de construction	Architecte	Entrepreneurs
1860	construction[1,2,3] logement et manufacture de pianos-forte	William Footner[1,2,3]	Guillaume Fraser, entrepreneur et briqueteur[1] Thomas Phillip, plâtrier[2] William Gardner et Robert White, menuisiers[3]
1956	suite à un incendie, démolition des deux étages supérieurs des entrepôts[4]		
1977	rénovation intérieure[4]		

1. Archives nationales du Québec, T. Doucet, 27 octobre 1860, minute nᵒ 15462
2. Archives nationales du Québec, T. Doucet, 27 octobre 1860, minute nᵒ 15463
3. Archives nationales du Québec, T. Doucet, 27 octobre 1860, minute nᵒ 15464
4. Service des permis et inspections de la Ville de Montréal

JOHN LOVELL AND SON BUILDING

423, rue Saint-Nicolas, Montréal

photo 1982

Propriétaire: The John Lovell and Son Limited
Superficie du terrain: 444 m²
Superficie de plancher du bâtiment: 1 810 m²
Superficie de plancher du bâtiment historique: 1 810 m²

Depuis sa construction en 1846, l'édifice de la rue Saint-Nicolas a toujours été occupé par la maison d'édition Lovell, bien connue pour son annuaire commercial.

Année	Étape de construction
1846	construction[1]

1. Inventaire du Vieux Montréal, ministère des Affaires culturelles et Ville de Montréal, 1981

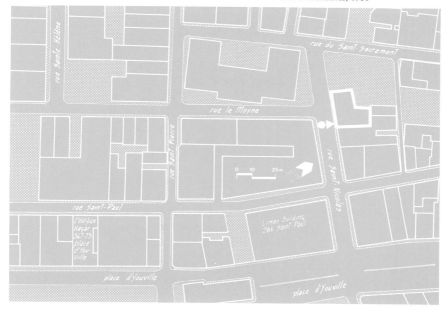

ÉDIFICE LYMAN

286, rue St-Paul ouest,
281-285, place d'Youville, Montréal

Propriétaire: James Harmon Andrews
Superficie du terrain: 1 164 m^2
Superficie de plancher du bâtiment: 6 985 m^2
Superficie de plancher du bâtiment historique: 6 985 m^2

Établie à Montréal dès 1800, la firme Lyman fut la première à importer des produits pharmaceutiques[2]. C'est après le grand incendie de 1901 qui détruisit tout le pâté de maisons entre les rues Saint-Sacrement, Saint-Nicolas, Saint-Paul, place d'Youville et Saint-Pierre, que la Société Lyman construisit l'édifice actuel pour loger ses entrepôts et ses laboratoires.

Dans cet édifice d'inspiration Beaux-Arts on notera l'utilisation de la pierre pour les deux premiers étages et de la brique pour les étages supérieurs, de même que la corniche à modillons sur tout le pourtour du toit.

Année	Étape de construction	Architectes
1908	construction[1]	Mitchell & Creighton

1. Dossier 25: *Inventaire des bâtiments du Vieux Montréal,* ministère des Affaires culturelles, Direction générale du patrimoine, 1977
2. Terrill F. Wm., *A Chronology of Montreal,* 1893

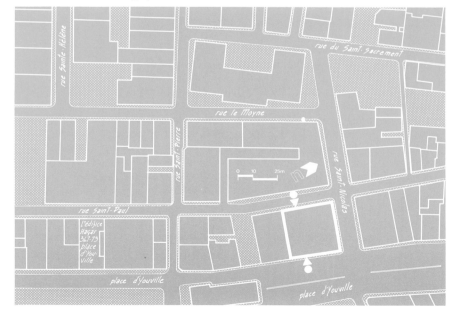

USINE JAS. McCREADY

361, rue d'Youville
108-110, rue Saint-Pierre, Montréal

Propriétaire: Soeurs Hospitalières de Saint-Joseph
Superficie du terrain: 2 064 m²
Superficie de plancher du bâtiment: 8 640 m²
Superficie de plancher du bâtiment historique: 8 640 m²

L'usine de chaussures de la Jas. McCready est un exemple typique de bâtiment à plan libre avec structure de poutres et colonnes bien exprimée dans l'arrangement des façades. Bien que la formule de la structure de poutres et colonnes de fonte ait été développée au début du XIXe siècle en Angleterre, le fait de l'exprimer par une ossature de pierres monolithiques en façade doit être attribué aux Américains, et notamment à l'architecte Alexander Parris pour les magasins du Quincy Market construits à Boston en 1824.[2]

Années	Étapes de construction	Architectes	Entrepreneurs
1873	construction[1,2]	Michel Laurent[1,2]	Plante et Dubuc, entrepreneurs[1,2]
1980	rénovation et transformation en logements[3]	Desnoyers et Mercure[3]	Simard et Beaudry[3]

dessin 1883

1. Archives nationales du Québec, F. Durand, 27 mars 1873, minute n° 4218
2. Marsan, Jean-Claude: *Montréal en évolution*, p. 237, Fidès, Montréal, 1975
3. Service des permis et inspections de la Ville de Montréal

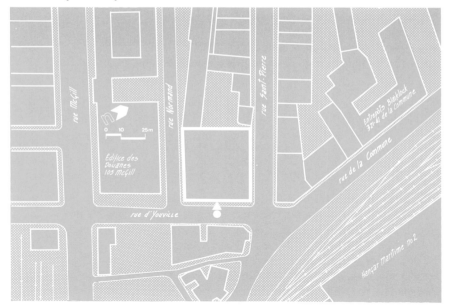

21

ROBERT MITCHELL CO.

350-360, rue Saint-Antoine ouest, Montréal

photo 1982

Propriétaire: Sylean Investment Ltd.
Superficie du terrain: 994 m^2
Superficie de plancher du bâtiment: 2 982 m^2
Superficie de plancher du bâtiment historique: 2 982 m^2

La fonderie de Robert Mitchell, la «Montreal Brass Works», fabriquait surtout de la quincaillerie décorative en bronze (lampes au gaz ou électriques, poignées, garnitures) pour les tramways et les trains. Après le départ de Mitchell en 1893, l'édifice fut occupé par diverses entreprises dont la «Troy Steam Laundry» et l'imprimerie du journal *The Witness*[3]: l'immeuble, rappelons-le, est situé dans le secteur du «Paper Hill», tout près du *Montreal Herald*.

Années	Étapes de construction	Architectes	Entrepreneurs
1862	construction[1]	François Boxer[1]	François Soucisse, entrepreneur[1] Peter Bowden, briqueteur[1]
1946	modifications aux vitrines des magasins[2]		
1948	réparation de la façade de la rue Saint-Antoine[2]	Jean Crevier[2]	H. A. Martin[2]

1. Archives nationales du Québec, James Smith, notaire, 1er avril 1862, minute n° 8933
2. Service des permis et inspections de la Ville de Montréal
3. *Annuaires John Lovell*, 1863-1935

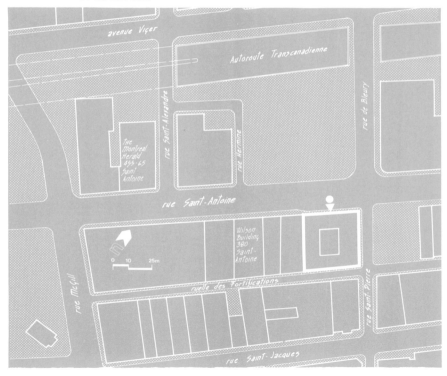

MONTRÉAL HERALD BUILDING
actuellement: The Canada Building

455-465, rue Saint-Antoine ouest, Montréal

photo 1982

Propriétaire: Manuk Corporation
Superficie du terrain: 1 113 m²
Superficie de plancher du bâtiment: 7 788 m²
Superficie de plancher du bâtiment historique: 7 788 m²

C'est en 1913 que le *Montreal Herald* établit ses ateliers rue Saint-Antoine, alors qu'on le qualifiait du «plus important quotidien du Canada». À l'époque, le secteur des rues Craig, Saint-Alexandre, de La Gauchetière et de Bleury était l'objet d'une telle concentration d'imprimeries qu'on l'avait surnommé le «Paper Hill».

Sur la façade d'inspiration Beaux-Arts on remarquera l'abondance des éléments décoratifs: sculptures, griffons, médaillons et écussons, et ce jusque dans l'appareil de brique au niveau du dernier étage.

Années	Étapes de construction	Architectes	Entrepreneurs
1913	construction[1]	Brown et Vallance[1]	G. C. Nicholson & Co.[3]
1954	réaménagement de l'intérieur, nouvelle entrée[2]	J. Kalenda[2]	Anglin Norcross[2]

1. Dossier 25: *Inventaire des bâtiments du Vieux Montréal*, ministère des Affaires culturelles, Direction générale du patrimoine, 1977
2. Service des permis et inspections de la Ville de Montréal
3. *The Canadian Engineer*, Vol. XXV, October 2, 1913

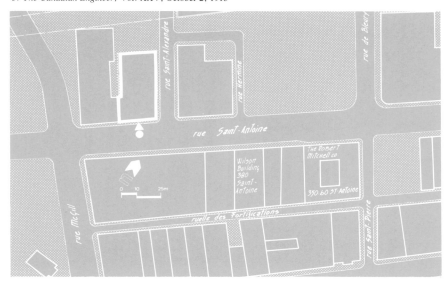

ROGERS AND KING
actuellement: Mercury Realties Inc.

261-265, rue Saint-Antoine ouest, Montréal

photo 1982

Propriétaire: Mercury Realties Inc.
Superficie du terrain: 5 468 m²
Superficie de plancher du bâtiment: 5 468 m²
Superficie de plancher du bâtiment historique: 3 062 m²

C'est en 1852, à la retraite de Thomas Molson, que George Rogers et Warden King reprirent les actifs de la «St. Mary Foundry», la plus vieille fonderie du Canada et qui était alors voisine de la brasserie Molson[2]. Suite au grand incendie de l'est de la Ville la même année, ils déménagèrent rue Craig, dans un premier édifice qui a été démoli depuis[3]. La Rogers and King a fait sa renommée avec la chaudière «Daisy», prototype du système de chauffage central à eau chaude[2].

Comme en témoigne une ancienne photographie, la tour d'angle a été amputée de son couronnement et la façade du rez-de-chaussée a été complètement transformée.

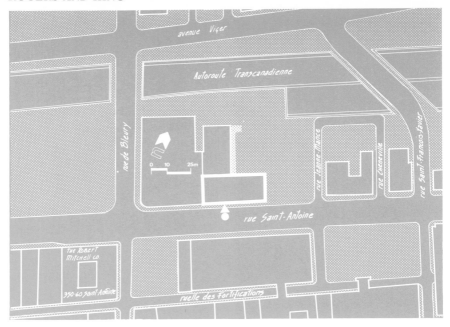

Années	Étapes de construction	Architectes	Entrepreneurs
Vers 1885	construction[1,2,3]		
1924	changement de la disposition des vitrines		J. R. Handfield[2]
1938	réfection de fenêtres de l'édifice		F. Brook Kolastat Heating System[2]
1948	modifications de deux magasins pour en former un seul — abaissement du plancher du sous-sol et réfection de ce dernier en béton[4]	Gratton et Thompson[4]	Cook & Leitch[4]
1949-50	agrandissement à l'arrière[4]	Gratton et Thompson[4]	Anglin-Norcross[4]

1. Dossier 25, ministère des Affaires culturelles, Direction générale du patrimoine, 1977
2. *Montreal, Commercial Metropolis of the Dominion,* The Dominion Illustrated, 1891
3. *Industries of Canada, City of Montreal,* Montreal, issued by the Historical Publishing Company, Gazette Printing Co. 1886
4. Service des permis et inspections de la Ville de Montréal

380, rue Saint-Antoine ouest, Montréal

photo 1974

Propriétaire: Les Placements Marbee Ltd.
Les Placements Sylean Ltd.
Superficie du terrain: 725 m^2
Superficie de plancher du bâtiment: 5 075 m^2
Superficie de plancher du bâtiment historique: 5 075 m^2

Travaillant pour le compte de la papeterie J. C. Wilson — d'ailleurs encore connue sous ce nom aujourd'hui — les architectes J. W. et E. C. Hopkins ont composé une façade néo-romane à la façon de Richardson. L'édifice a conservé son apparence originale, sauf que la tour centrale a perdu le couronnement que lui avaient originairement donné ses concepteurs.

Années	Étapes de construction	Architectes
1880	construction[1]	J. W. et E. C. Hopkins[1]
1961	réaménagement du 7e étage[2]	H. M. Tolchinsky[2]
1970	réaménagement intérieur[2]	

1. Dossier 25: *Inventaire des bâtiments du Vieux Montréal,* ministère des Affaires culturelles et Ville de Montréal, 1981
2. Service des permis et inspections, Ville de Montréal, permis 3717

SECTEUR CENTRE-VILLE

352-392, rue Ste-Catherine ouest, Montréal photo 1982

Propriétaire: Fred-Mar-Da-Rick Inc. et Al
Superficie du terrain: 3 543 m^2
Superficie de plancher du bâtiment: 21 258 m^2
Superficie de plancher du bâtiment historique: 21 258 m^2

Les architectes Finley et Spence ont possiblement été influencés par le Leiter Building de Chicago (1885); même rythmique des ouvertures et des pilastres du rez-de-chaussée.

Années	Étapes de construction	Architectes
1912	construction[1]	Finley & Spence[1]
1974	réaménagement de vitrines[2]	

1. *Montreal Daily Star,* May 7, 1912, p. 9
2. Service des permis et inspections de la Ville de Montréal, permis 4435

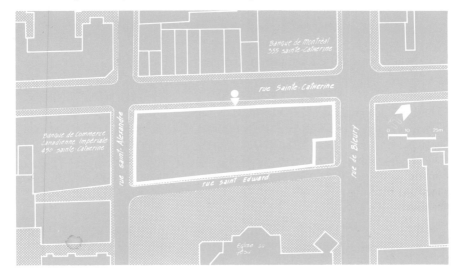

BELL TELEPHONE COMPANY OF CANADA

photo 1981

975-999, rue Lucien-L'Allier, Montréal

Propriétaire: H. L. Blackford Limited
Superficie du terrain: 2 425 m²
Superficie de plancher du bâtiment: 8 117 m²
Superficie de plancher du bâtiment historique: 6 190 m²

Cet édifice construit par Bell Telephone du Canada[1,3] fut utilisé par le service de la mécanique qui fabriquait et distribuait de l'équipement téléphonique et des appareils électriques[2,3]. En 1895, ce service fut constitué en compagnie sous le nom de Northern Electric & Manufacturing Company[3]. La Northern Electric quitta l'édifice en 1906 afin de s'installer dans des locaux plus spacieux, rue Guy[2,3]. En 1913, le bâtiment fut vendu au fabriquant de chaussures W. J. Bell.

L'édifice a été retenu pour le rythme intéressant de la fenestration et des travées et pour l'appareil de brique. Il forme un ensemble intéressant avec le bâtiment voisin, la Guaranteed Pure Milk.

Années	Étapes de construction
1890	construction de l'atelier, de la bâtisse des turbines et d'un entrepôt[3]
Vers 1897	exhaussement d'un étage[3]

1. Ministère de la Justice, Bureau d'enregistrement du District de Montréal
2. Montreal Board of Trade, 1913-14
3. Bell Canada

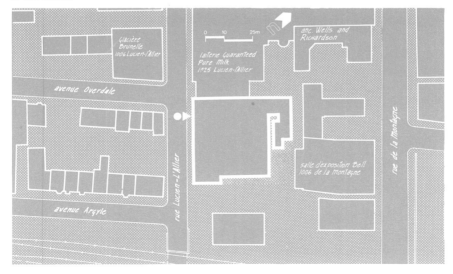

CANADIAN CORK CUTTING CO.
actuellement: MP Photo

1030, rue Cheneville, Montréal

photo 1982

Propriétaire: MP Photo Reproductions Ltée
Superficie du terrain: 1 826 m²
Superficie de plancher du bâtiment: 9 122 m²
Superficie de plancher du bâtiment historique: 9 122 m²

Propriété de John Auld depuis 1872, la Canadian Cork Cutting fabriquait des bouchons de liège. À l'origine, le bâtiment n'avait que quatre étages et l'entrée principale était rue de La Gauchetière. Environ 35 personnes y travaillaient[1].

Années	Étapes de construction
1887	construction[1,2]
Vers 1900	ajout d'un étage
1976	rénovation[3]

1. *Dominion Illustrated* 1891, Numéro sur Montréal, p. 102
2. Ministère de la Justice, Bureau d'enregistrement du District de Montréal
3. Service des permis et inspections de la Ville de Montréal

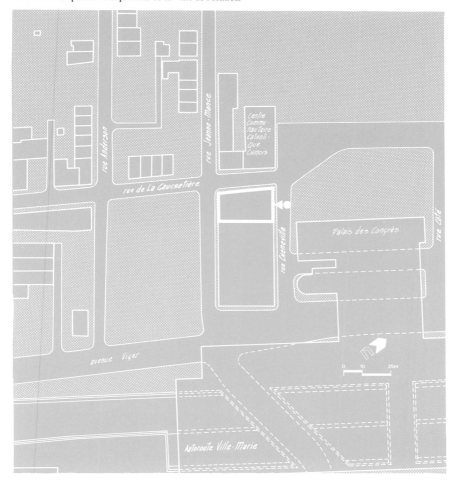

CARON BUILDING

2050-2060, rue de Bleury, Montréal

photo 1982

Propriétaire: Gold Castle Holdings Ltd.
Superficie du terrain: 2 368 m^2
Superficie de plancher du bâtiment: 23 680 m^2
Superficie de plancher du bâtiment historique: 23 680 m^2

Bien que postérieur de quelque sept ans, l'édifice Caron n'est pas sans rappeler le Southam Building, un peu plus au sud sur la rue de Bleury: même volumétrie, utilisation combinée de la pierre et de la brique, mais surtout abondance du décor de pierre sculptée au niveau du rez-de-chaussée.

Année	Étape de construction	Architectes	Entrepreneur
1923	construction[1]	McVicar et Heriot[1]	O. Archambault[1]

1. Service des permis et inspections de la Ville de Montréal

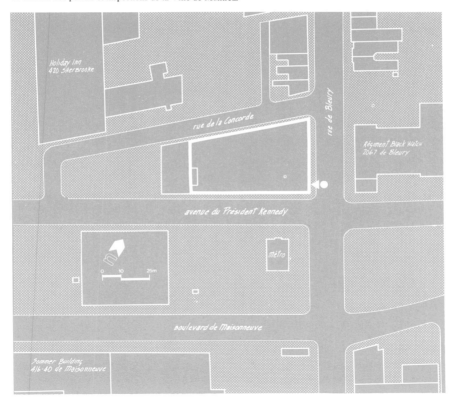

1179, rue de Bleury, Montréal

photo 1982

Propriétaire: Travaux publics Canada
Superficie du terrain: 801 m²
Superficie de plancher du bâtiment: 4 007 m²
Superficie de plancher du bâtiment historique: 4 007 m²

Construit pour le compte des frères Caron comme manufacture de bijoux, l'édifice de la rue de Bleury n'est antérieur que d'une année au New Gillette Building mais en diffère totalement. Alors que l'édifice de la rue Saint-Alexandre est tout en béton armé et présente une façade très sobre dont la principale qualité est de bien exprimer la structure, l'édifice des Frères Caron utilise encore la pierre avec des arcs surbaissés, un couronnement à redents et un décor de médaillons et d'écussons.

Années	Étapes de construction	Entrepreneur
1910	construction[1]	
1966	réaménagement intérieur[2]	Prieur Entrepreneur Inc.[2]

1. Ministère de la Justice, Bureau d'enregistrement du district de Montréal
2. Service des permis et inspections de la Ville de Montréal

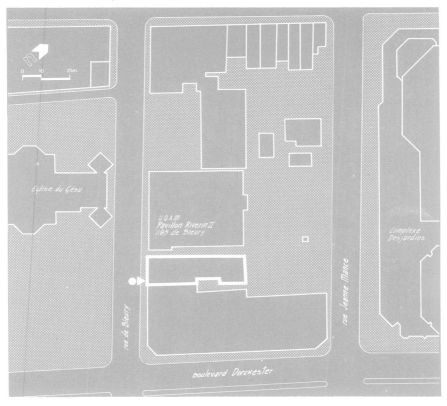

DESBARATS' BUILDING *(The Gazette)*
actuellement: Wheatley & Wilson Limited

476-480, rue de La Gauchetière ouest, Montréal   photo 1974

Propriétaire: Apen Investment Limited
Superficie du terrain: 546 m^2
Superficie de plancher du bâtiment: 2 727 m^2
Superficie de plancher du bâtiment historique: 2 727 m^2

Construit pour le journal *The Gazette* en 1930, l'édifice s'apparente par son style à la période tardive de l'école de Chicago. L'appareil de brique et les proportions de l'arcade du rez-de-chaussée et des autres ouvertures accentuent la verticalité de l'édifice.

Années	Étape de construction	Architecte	Entrepreneur
1929-30	construction[1]	David Robertson Brown[1]	A. F. Byers & Co. Ltd.[2]

1. *Histoire et Archéologie, Inventaire 1919-1959,* Robert Lemire, Parcs Canada
2. Service des permis et inspections, Ville de Montréal, permis 4775

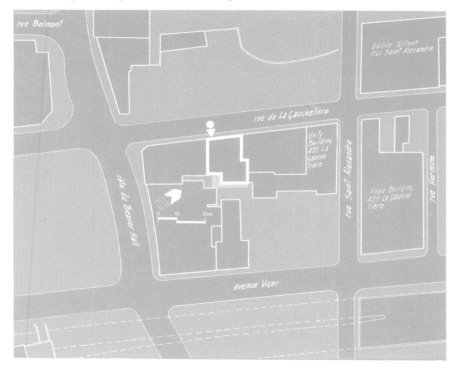

EKERS' BREWERY
actuellement: entrepôt et manufacture

2101-2115, boul. St-Laurent, Montréal

photo 1974

Propriétaire: Percy Caplan & Al
Superficie du terrain: 2 965 m²
Superficie de plancher du bâtiment: 10 243 m²
Superficie de plancher du bâtiment historique: 10 243 m²

L'édifice de la Ekers est un des rares exemples d'architecture industrielle d'Alexander Francis Dunlop. L'architecte a utilisé le vocabulaire néo-roman à la façon de Richardson. La façade dénote beaucoup de recherche, notamment dans la distribution, la rythmique et les proportions des ouvertures, et l'utilisation de la pierre à bossage pour les linteaux et les arcs cintrés des fenêtres, de même que pour l'arc en plein cintre à voussure de l'entrée principale.

Fondée en 1845, la Ekers s'amalgama en 1909 aux brasseries Dow, Dawes et Union pour former la National Breweries Limited qui allait devenir, en 1952, la Canadian Breweries Limited.

Années	Étapes de construction	Architectes	Entrepreneurs
1894	construction[1]	Dunlop et Heriot[1]	
1930	réfection de la brique et du parapet[2]		Atlas Construction[2]
1942	nettoyage de la façade[2]		
1953	modifications intérieures[2]	Reuben Fisher[2]	Frank & Pascal Co.[2]

1. *Canadian Architect and Builder*, Vol. VII, no. 2, February 1894
2. Service des permis et inspections de la Ville de Montréal

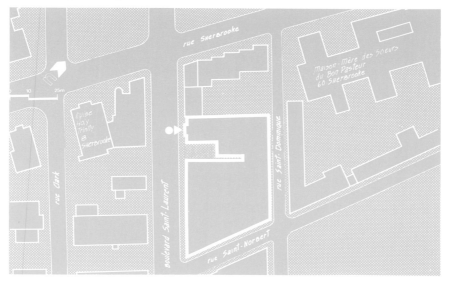

ENTREPÔT FRIGORIFIQUE DU PORT DE MONTRÉAL

photo 1981

Port de Montréal (face à la rue Berri)

Propriétaire: Gouvernement du Canada
Superficie du terrain: 44 031 m^2
Superficie de plancher du bâtiment: 28 536 m^2
Superficie de plancher du bâtiment historique: 28 536 m^2

Cet important bâtiment en bordure du fleuve était utilisé pour la conservation des marchandises sujettes à s'avarier et destinées à l'est ou à l'ouest du pays. Avec le développement de nouvelles techniques de manutention, l'entrepôt a perdu sa raison d'être et il est désaffecté depuis 1979. La composition extérieure de ce bâtiment conçu dans l'esprit Beaux-Arts fait appel à des effets riches et variés soulignés par la polychromie des matériaux. Les quatre citernes carrées qui émergent du toit servent à l'arrosage automatique en cas d'incendie. Elles forment un point de repère important depuis le fleuve, les îles de Terre des Hommes et le pont Jacques-Cartier.

Année	Étape de construction	Architectes
1922	construction[1]	John S. Metcalfe, ing., assisté du major R. Percy Simms, ingénieur en réfrigération[2]

1. Harbour Commissioners of Montreal: *Facts of interest in relation to the Harbour of Montreal,* May 1922, p. 18-19
2. *The Contract Record and Engineering Review,* Vol. XXXVIII, March 12, 1924

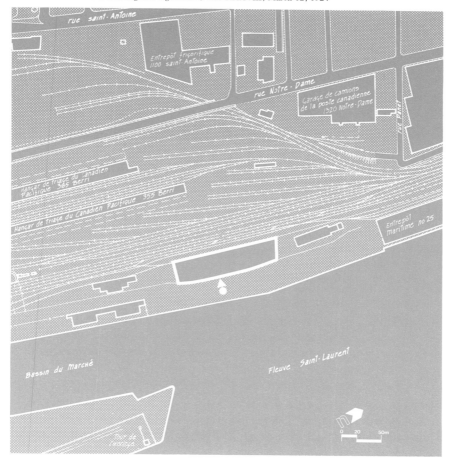

GILLETTE BUILDING

photo 1976

1085, rue Saint-Alexandre, Montréal

Propriétaire: Gillette Canada Inc.
Superficie du terrain: 1 065 m²
Superficie de plancher du bâtiment: 4 125 m²
Superficie de plancher du bâtiment historique: 4 125 m²

Le New Gillette Building était, selon un document publicitaire de 1912 destiné à d'éventuels locataires industriels[2], le plus moderne des édifices en béton armé de l'est du Canada. La structure à dalle plate (*flatslab*) sans poutres, avec des portées de vingt pieds sur seize, assurait un maximum de flexibilité pour l'aménagement des espaces intérieurs selon les besoins spécifiques des locataires.

De conception résolument moderne à une époque où l'architecture était encore dominée par le vocabulaire classique, l'édifice de la rue Saint-Alexandre est à retenir surtout pour l'équilibre de son volume et la sobriété de son décor.

Année	Étape de construction	Architectes	Entrepreneur
1911	construction[1,2]	Lockwood, Green & Company de Boston[2]	Atlas Construction Co. Ltd.[2]

1. Dossier 25: *Inventaire des bâtiments du Vieux Montréal,* ministère des Affaires culturelles, Direction générale du patrimoine, 1977
2. Archives de Gillette Canada Inc., Dépliant publicitaire, 2 septembre 1912

ÉDIFICE L.-O. GROTHÉ

2000, boul. St-Laurent, Montréal

Propriétaire: Ministère des Affaires culturelles
Superficie du terrain: 2 059 m²
Superficie de plancher du bâtiment: 7 812 m²
Superficie de plancher du bâtiment historique: 7 812 m²

L'édifice aurait été construit pour le compte de Louis-Ovide Grothé, fabricant de cigares. D'après *La Presse* du 4 juin 1907, il aurait été presque complètement occupé dès le début par les ateliers de confection et les quartiers généraux de la «Fashion Craft».

Le bâtiment a été classé monument historique le 16 septembre 1976, puis acquis par le ministère des Affaires culturelles en 1980.

Année	Étape de construction	Architecte
Vers 1906	construction[1,2,3]	J. Z. Resther[4]

photo 1979: intersection Clark et Ontario

1. Dossier 25: *Inventaire des bâtiments du Vieux Montréal,* ministère des Affaires culturelles, Direction générale du patrimoine, 1977
2. *Le Devoir,* Alain Duhamel, 14 février 1980
3. Avis d'intention de procéder au classement d'un bien culturel, 1er décembre 1975
4. *La Presse,* 4 février 1907, p. 10

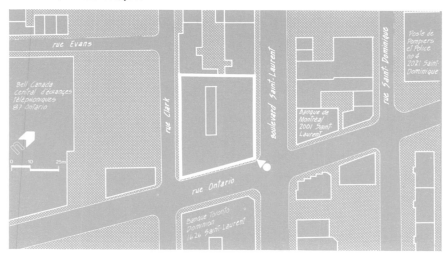

GUARANTEED PURE MILK COMPANY

1025, rue Lucien-L'Allier, Montréal

photo 1982

Propriétaire: Laiterie Guaranteed Limitée
Superficie du terrain: 2 785 m²
Superficie de plancher des bâtiments: 5 989 m²
Superficie de plancher du bâtiment historique: 3 343 m²

L'intérêt de cet édifice construit au tournant des années 30 réside dans ses élements décoratifs de style Art Moderne en façade, notamment au-dessus de la porte d'entrée. La rythmique des travées accentue la verticalité de l'édifice. Avec le bâtiment voisin, construit par la compagnie Bell Telephone du Canada, il forme un ensemble intéressant par la continuité des éléments verticaux et la similitude des volumes.

Année	Étape de construction	Architectes	Entrepreneurs
1930	construction de la laiterie, rue Lucien-L'Allier[1,2,3,4,5]	Hutchison, Wood and Miller[1,2,3,4,5]	General Concrete Construction: entrepreneur général[1,2,3,4,5] D. Verrochio Co.: excavation[4] Dominion Bridge Co. Ltd: structure[5]

1. Laiterie Guaranteed Limitée
2. Lemire, Robert: *Inventaire des bâtiments du Vieux Montréal et des quartiers Saint-Georges et Saint-André construits entre 1919 et 1959*, Parcs/Canada, n.d.
3. Service des permis et inspections de la Ville de Montréal
4. *The Contract Record and Engineering Review*, Vol. XLIV, no. 33, August 13, 1930
5. *The Contract Record and Engineering Review*, Vol. XLIV, no. 42, October 15, 1930

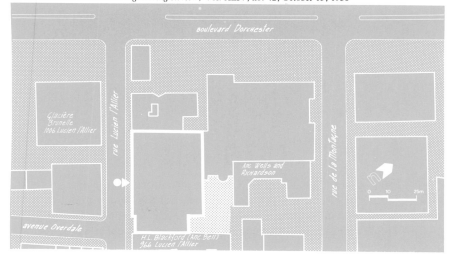

GEORGE HODGE AND SONS
actuellement: vacant

205, avenue Viger ouest, Montréal

photo 1982

Propriétaire: Benmeil Realty Co.
Superficie du terrain: 1 340 m^2
Superficie de plancher du bâtiment: 6 698 m^2
Superficie de plancher du bâtiment historique: 6 698 m^2

L'édifice de l'avenue Viger aurait été construit pour John Auld, alors propriétaire de l'édifice voisin, la Canadian Cork Cutting, pour être utilisé comme atelier de confection de vêtements pour dames. Le nom de George Hodge and Sons est celui d'une manufacture de chaussures qui a longtemps occupé l'édifice.

58

Année	Étape de construction
1901	construction[1,2]

1. *Lovell's Montreal Directory*, 1901
2. Charles E. Goad: *Atlas of the City of Montreal*, 1912

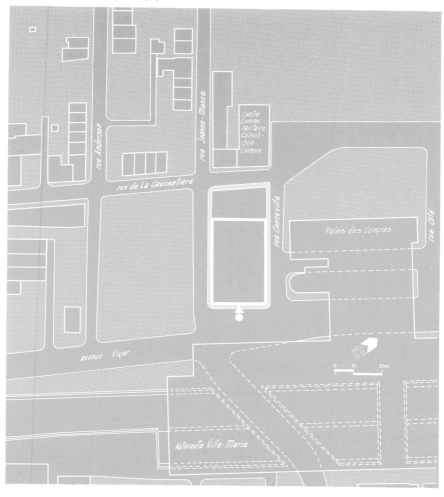

LAURA SECORD

photo 1981

869-875, avenue Viger est, Montréal

Propriétaire: Laura Secord Candy Shop
Superficie du terrain: 2 442 m²
Superficie de plancher du bâtiment: 5 623 m²
Superficie de plancher du bâtiment historique: 2 541 m²

La chocolaterie Laura Secord aura occupé une place importante dans l'industrie de la confiserie montréalaise jusqu'en 1982, date à laquelle elle centralisera sa fabrication en Ontario.

L'édifice du Square Viger est notable pour ses arcades de brique de couleur jaune et l'utilisation de la même brique en imitation de pierre à refend au niveau du rez-de-chaussée.

Années	Étapes de construction
1917	construction[1]
1925	agrandissement[2]
1948	agrandissement[2]

1. *Lovell's Montreal Directory*, 1920
2. Service d'évaluation de la Communauté urbaine de Montréal

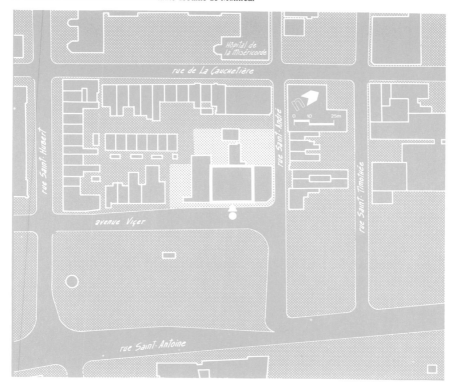

READ BUILDING

420, rue de La Gauchetière ouest, Montréal

photo 1974

Propriétaire: M. Goldberg et Al
Superficie du terrain: 2 553 m²
Superficie de plancher du bâtiment: 25 532 m²
Superficie de plancher du bâtiment historique: 25 532 m²

Selon l'édition du 13 avril 1912 du journal *La Presse,* l'édifice projeté par l'ingénieur et promoteur Cinus G. Read devait être, avec ses dix étages de 27 000 pieds carrés de superficie chacun, le plus grand édifice d'affaires au Canada.

Entièrement à l'épreuve du feu, le bâtiment comportait une «tour à incendie» soit une tour métallique devant permettre une évacuation rapide des employés en cas d'incendie, selon une formule qui, semble-t-il, se pratiquait avec succès en Europe.

Années	Étapes de construction	Architectes
1912	construction[1]	Ross et MacFarlane[1]
1972	réaménagement intérieur en salles de cours pour l'UQAM[2]	Blais et Bélanger, architectes Claude Liboiron, ingénieur[2]

1. *La Presse,* 13 avril 1912, p. 33
2. Service des permis et inspections, Ville de Montréal

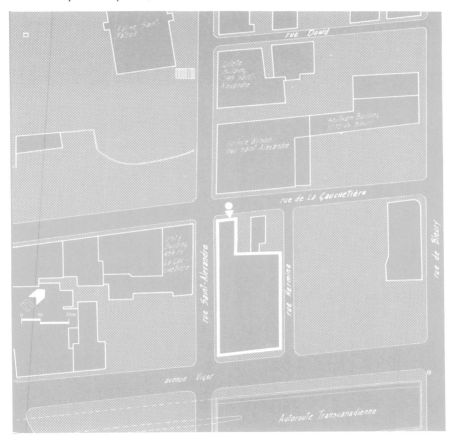

416-440, boulevard de Maisonneuve ouest, Montréal

photo 1982

Propriétaire: Joseph Drazur et Al
Superficie du terrain: 2 274 m²
Superficie de plancher du bâtiment: 23 198 m²
Superficie de plancher du bâtiment historique: 23 198 m²

Destiné à être occupé par des manufactures et des bureaux, conçu à une époque de transition pour l'architecture industrielle et commerciale, l'édifice d'inspiration résolument fonctionnaliste présente quand même certaines caractéristiques Beaux-Arts, notamment au niveau du rez-de-chaussée en pierre. La «A. Sommer and Co. Ltd.», une manufacture de vêtements pour dames, était présidée par Abraham Sommer, né à Lodz, en Pologne, en 1878[2].

Années	Étapes de construction	Architectes	Entrepreneur
1912	construction[1]	Hutchison, Wood & Miller	
1970	modifications au 9e étage	J. Melville & Miller	Beaurivage Construction

1. *Montreal Daily Star*, December 30, 1912, p. 15
2. Montreal Board of Trade, *Past and Present*, 1914-15, p. 76

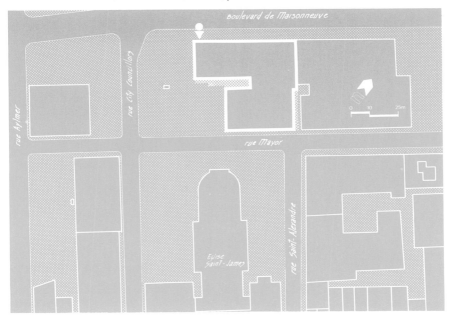

SOUTHAM BUILDING

1070, rue de Bleury, Montréal

photo 1982

Propriétaire: Maurice Goldberg et Al
Superficie du terrain: 2 235 m²
Superficie de plancher du bâtiment: 13 423 m²
Superficie de plancher du bâtiment historique: 13 423 m²

En 1916, la Southam Press vient joindre le rang des imprimeries déjà implantées dans ce secteur dit du «Paper Hill». L'édifice, conçu par les architectes Brown et Vallance, très actifs dans la construction industrielle au début du siècle, est surtout remarquable pour l'abondante décoration de sa façade de la rue de Bleury, et notamment ses quatre statues au niveau du premier étage, juste au-dessus de l'entrée principale.

Années	Étapes de construction	Architectes	Entrepreneurs
1916	construction[1]	D. R. Brown et Hugh Vallance[1]	Atlas Construction Co. Ltd.[1]
1956	rénovation intérieure du 6e étage[2]	Barrott, Marshall & Merrill[2]	Towle Construction[2]

1. *The Contract Record and Engineering Review*, Vol. XXX, no. 10, March 8, 1916
2. Service des permis et inspections de la Ville de Montréal

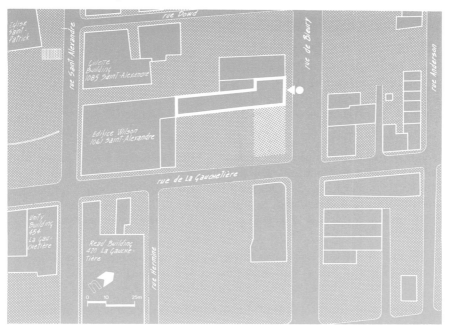

TOILET LAUNDRY CO. LTD.
actuellement: vacant

750, rue Guy, Montréal

photo 1982

Propriétaire: Spiral Investment Corporation
Superficie du terrain: 6 271 m²
Superficie de plancher du bâtiment: 10 450 m²
Superficie de plancher du bâtiment historique: 10 450 m²

La compagnie Toilet Laundry fut fondée en 1886 par Lionel Smith, James D. Miller et Ferdinand Faure. Elle a d'abord occupé des locaux sur la rue Dorchester[1] puis vers 1905[2] sur la rue Richmond, au sud du square. Au fur et à mesure de ces agrandissements, la compagnie a acquis progressivement les lots avoisinants, incluant ceux qui sont occupés par l'édifice actuel qui date de 1924[2].

La Toilet Laundry Co. était la buanderie la plus importante de l'Est du Canada avec des points de commerce dans 192 villes du Canada et répondait presqu'essentiellement à une demande industrielle et commerciale[1].

D'inspiration Beaux-Arts, l'édifice tire son intérêt des remarquables arcades du rez-de-chaussée et de la fenestration.

68

Années	Étapes de construction	Architectes	Entrepreneurs
1924	construction de la buanderie[3]	Hutchison & Wood[3]	Church & Ross, entrepreneurs généraux[3]
1930	agrandissement, sur le côté nord[4]	Hutchison & Wood[4]	Bonnell Brothers: entrepreneurs généraux

1. Archives de la Ville de Montréal
2. Ministère de la Justice, Bureau d'enregistrement du District de Montréal
3. Service des permis et inspections de la Ville de Montréal
4. *The Contract Record and Engineering Review*, Vol. XLIV, no. 36, September 1930

TRIO SHIRT MANUFACTURING CO.

photo 1982

75-77, avenue Viger, Montréal

Propriétaire: Mrs. Harry Fried
Superficie du terrain: 426 m²
Superficie de plancher du bâtiment: 2 131 m²
Superficie de plancher du bâtiment historique: 2 131 m²

Construit en 1890 pour les machinistes Roberge et Shepherd[2], l'édifice de l'avenue Viger est contemporain de la Canadian Cork Cutting, à quelques rues de là, et s'y apparente par sa volumétrie et le rythme de sa fenestration. Son couronnement est par contre plus décoré.

Année	Étape de construction
1890	construction[1,2]

1. Charles E. Goad: *Atlas of the City of Montreal,* 1890
2. *Dominion Illustrated* 1891, Numéro sur Montréal, p. 117

dessin 1891

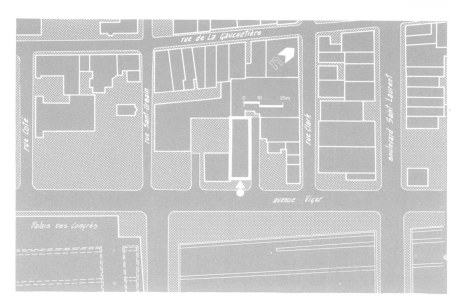

UNITY BUILDING

454, rue de La Gauchetière ouest, Montréal

photo 1974

Propriétaire: Graphic Estate Limited
Superficie du terrain: 10 285 m²
Superficie de plancher du bâtiment: 10 285 m²
Superficie de plancher du bâtiment historique: 10 285 m²

Situé en plein coeur du «Paper Hill», cet édifice est surtout notable pour sa corniche arrondie. Selon Jean-Claude Marsan[3], le «Unity Building» rappelle l'architecture commerciale de Chicago, le «Wainwright Building» de St. Louis et le «Guaranty Building» de Buffalo, ces deux derniers de l'architecte Henry Sullivan.

Années	Étapes de construction	Architectes	Entrepreneurs
1912	construction[1]	David J. Spence[1]	
1956	rénovation intérieure[2]	Barrott, Marshall, Montgomery et Merrett[2]	Deacon et Stewart[2]

1. Dossier 25: *Inventaire des bâtiments du Vieux Montréal*, ministère des Affaires culturelles, Direction générale du patrimoine, 1977
2. Service des permis et inspections de la Ville de Montréal
3. Marsan, Jean-Claude: *Montréal en évolution*, Montréal, Fidès, 1975

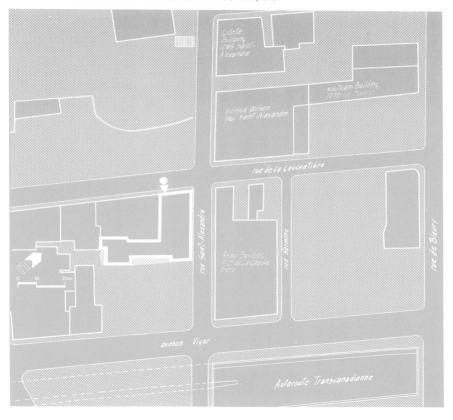

WILSON BUILDING

1061, rue Saint-Alexandre, Montréal

photo 1974

Propriétaire: Maurice Goldberg et Al
Superficie du terrain: 2 458 m²
Superficie de plancher du bâtiment: 7 067 m²
Superficie de plancher du bâtiment historique: 7 067 m²

C'est en 1911 que la papeterie J. C. Wilson aurait emménagé dans ses nouveaux locaux de la rue Saint-Alexandre. Auparavant, la J. C. Wilson occupait, rue Saint-Antoine, un édifice conçu pour elle en 1880 par les architectes J. W. et E. C. Hopkins (et qui apparaît à la section «Vieux Montréal» du présent répertoire).

Contemporain du «New Gillette Building», son voisin de la rue Saint-Alexandre, le «Wilson Building» s'apparente fortement à ce dernier par son volume et sa fenestration, mais en diffère par sa structure classique de poutres et colonnes et son parement de brique.

Année	Étape de construction
1911	construction[1]

1. *Lovell's Montreal Directory*, 1912-13

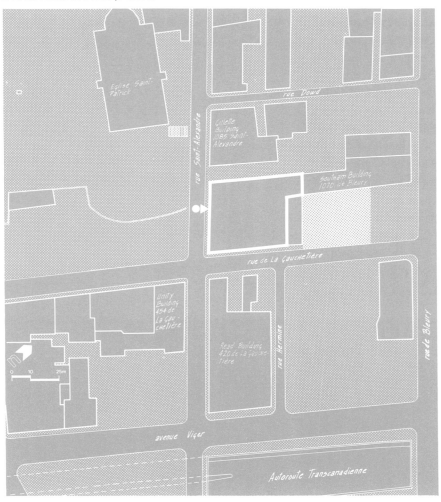

SECTEUR OUEST

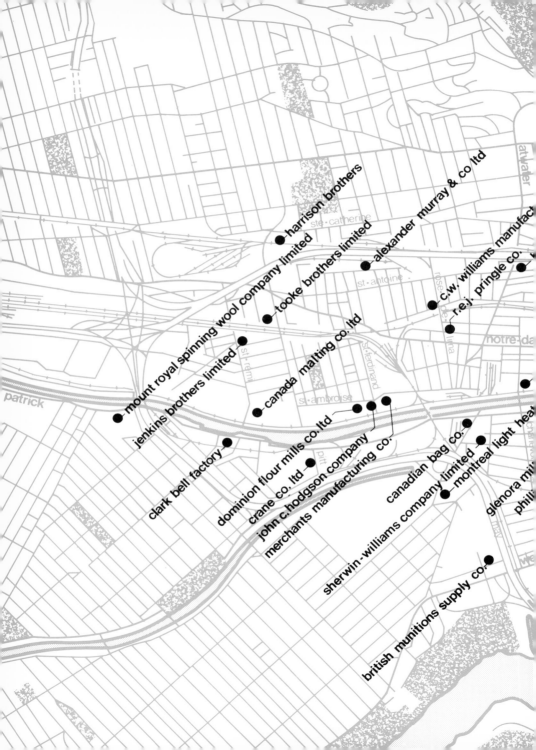

harrison brothers

ste · catherine

alexander murray & co ltd

tooke brothers limited

c.w. williams manufact

st · antoine

rose de lima

r.e.j. pringle co.

notre da

mount royal spinning wool company limited

canada malting co. ltd

jenkins brothers limited

st · remi

st-ferdinand

st · ambroise

patrick

clark bell factory

dominion flour mills co. ltd

crane co. ltd

john c. hodgson company

merchants manufacturing co.

pitt

canadian bag co.

sherwin - williams company limited

montreal light heat

glenora mi

phill

british munitions supply co.

BELDING, PAUL AND COMPANY
actuellement: Belding Corticelli Limited

1790, rue du Canal, Montréal

photo 1980

Propriétaire: Belding Corticelli Limited
Superficie du terrain: 7 303 m²
Superficie de plancher des bâtiments: 11 702 m²
Superficie de plancher du bâtiment historique: 8 843 m²

La Société Belding a été fondée aux États-Unis en 1866. C'est en 1876 qu'elle ouvre des bureaux à Montréal, au 16, rue Saint-Bonaventure. L'année suivante, sous une nouvelle raison sociale, la Belding, Paul and Co., elle entreprend l'ouverture de la première manufacture de soie du Dominion du Canada, dans un édifice loué au 30, rue Saint-George. En 1882, elle déménage ses effectifs dans une ancienne manufacture de chaussures située aux Écluses Saint-Gabriel et, en 1884, se porte acquéreur des terrains de l'actuel site de l'usine. Elle entreprend alors la construction de nouvelles installations. À cette époque, elle emploie environ 300 personnes.

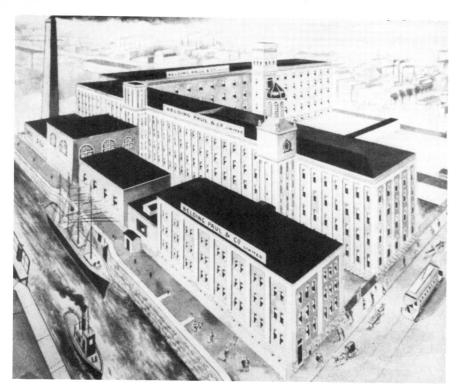

Selon une revue de 1884, la structure de l'édifice est en fonte et repose sur des piliers de maçonnerie. Un embranchement du Canal de Lachine passait sous le bâtiment pour fournir l'énergie hydraulique nécessaire à l'outillage et à la machinerie. Cet édifice en briques de quatre étages est également intéressant pour le rythme des ouvertures et les détails architectoniques de la partie supérieure de la tour. Cette tour de sauvetage est par ailleurs typique des constructions industrielles du dernier quart du XIXe siècle.[2]

BELDING, PAUL AND COMPANY

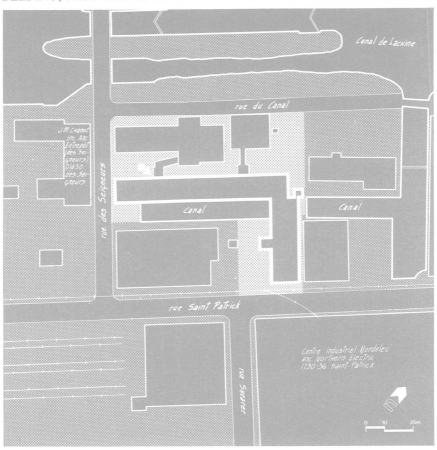

Années	Étapes de construction	Entrepreneurs
1884	construction[1,2]	
1893	construction d'une aile de quatre étages[2]	
1913	construction d'un nouvel édifice administratif et d'un entrepôt[2]	
1926	exhaussement d'une partie de la manufacture[3]	Anglin-Norcross Ltd.: entrepreneur[3]
1932	réfection de la structure[3]	Anglin-Norcross Ltd.: entrepreneur[3]
1946	réfection des planchers, rénovation de l'intérieur[3]	Anglin-Norcross Ltd.: entrepreneur[3]

1. Ministère de la Justice, Bureau d'enregistrement du District de Montréal
2. Archives de la Ville de Montréal
3. Service des permis et inspections de la Ville de Montréal

BRISTOL MYERS COMPANY
actuellement: Institut Technique Aviron

3033-35, rue Saint-Antoine ouest, Westmount

photo 1981

Propriétaire: Simon F. Flegg
Superficie du terrain: 1 005 m^2
Superficie de plancher du bâtiment: 3 251 m^2
Superficie de plancher du bâtiment historique: 3 251 m^2

L'édifice de la Bristol Myers a été retenu pour sa représentativité d'une époque de transition entre une architecture encore marquée par une recherche du décor (alternance des travées, couronnement des pilastres, appareil de briques) et l'architecture résolument fonctionnaliste des années 30.

Années	Étapes de construction	Architectes	Entrepreneurs
1928-29	construction de l'usine et du garage[1]	A. Nosworthy[1]	J. M. E. Guay, entrepreneur général[1]
1942	modifications intérieures[1]		J. L. Guay & Frères Ltée: entrepreneur général[1]
1944	agrandissement[1]	René S. Labelle[1]	J. L. Guay & Frères Ltée: entrepreneur général[1]
1946	agrandissement[1]	Stanley & Sproule[1]	J. L. Guay & Frères Ltée: entrepreneur général[1]

1. Bureau des permis de la Ville de Westmount

BRITISH MUNITIONS SUPPLY CO.

actuellement: Verdun Industrial Building

425, rue River, Verdun

photo 1982

Propriétaire: Verdun Industrial Building Corporation
Superficie du terrain: 8 460 m²
Superficie de plancher du bâtiment: 1 198 m²
Superficie de plancher du bâtiment historique: 1 198 m²

Ce bâtiment a été construit suite à une commande du Gouvernement fédéral pour accroître la production canadienne de munitions en temps de guerre. C'est le seul bâtiment à vocation industrielle construit à Verdun après l'incorporation de la Ville (alors Cité de Verdun) en 1912. Architecturalement, il est intéressant pour sa tourelle d'angle à l'italienne, mais surtout pour son toit en dents de scie dont la superficie vitrée, orientée vers le nord, permet une pénétration maximale de la lumière naturelle tout en évitant les rayons directs du soleil.

Année	Étape de construction		Entrepreneur
1916	construction[1]		Atlas Construction Co. Ltd.[1]
1916	agrandissement[2]		Atlas Construction Co. Ltd.[2]

1. *The Contract Record and Engineering Review,* Vol XXX, February 23, 1916
2. *The Contract Record and Engineering Review,* Vol. XXX, November 29, 1916

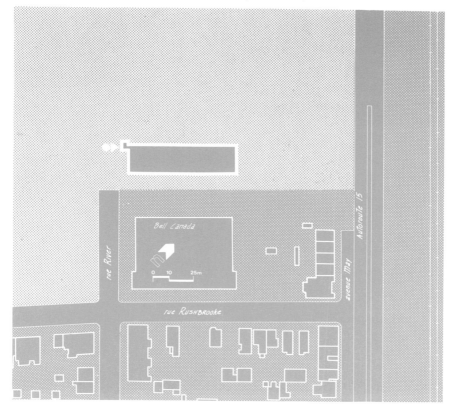

ENTREPÔTS BUCHANAN ET PENN

15-17, rue Duke, Montréal

photo 1982: entrepôt Isaac Buchanan

Propriétaire: Scythes and Co.
Superficie du terrain: 2 549 m²
Superficie de plancher des bâtiments: 3 240 m²
Superficie de plancher des bâtiments historiques: 3 240 m²

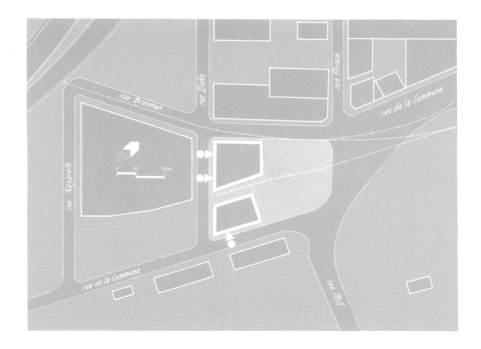

799, rue de la Commune ouest, Montréal photo 1974: entrepôt Turton Penn

L'entrepôt Buchanan est classé monument historique en vertu d'un arrêté en conseil du 24 mai 1980[1]. Selon nos recherches, le vaste bâtiment à toit à pignon aurait été construit entre 1854 et 1868[5,6,7] pour les besoins d'Isaac Buchanan, marchand. Cependant, des études effectuées par divers groupes de recherche sur le patrimoine donnent des dates de construction non-concordantes:

1844-45 — John Wells, architecte[2]

1844-47 — architecte inconnu[3]

1847 — architecte inconnu[12]

1856-60 — architecte inconnu[4]

Cette confusion tient à ce que le propriétaire initial, Isaac Buchanan, ne semble pas avoir fait quelqu'entente écrite que ce soit avec un entrepreneur ou des maçons pour la construction de son entrepôt.

Pour sa part, l'entrepôt Turton Penn, à toit plat, aurait été construit entre 1831 et 1843[3,8,9]. Le dernier étage a été ajouté en 1930[10,11]. Les deux édifices constituent un important point de repère pour quiconque circule sur la rue de la Commune, en direction de la rue Mill.

1. Ministère de la Justice, Bureau d'enregistrement du District de Montréal
2. Commission des Biens culturels, 8e rapport annuel, 1979-80
3. Sauvons Montréal, *Les quartiers du centre-ville de Montréal: Les Récollets*, Montréal, 1977
4. Groupe de recherche sur les bâtiments en pierre grise de Montréal
5. Cane, James: *Topographical & Pictorial map of the City of Montreal*, 1846
6. Duncan, J. — 1853
7. Perreault, Henri-Maurice — 1854
8. Greffe G. D. Arnoldi, vente de J. S. et W. K. McCord à Turton Penn, le 2 avril 1831
9. Vente par le Sheriff à William Lunn, le 21 avril 1843
10. Service des permis et inspections de la Ville de Montréal
11. *The Contract Record and Engineering Review*, Vol. XLIV, no. 34, August 20, 1930
12. Ministère des Affaires culturelles, dossier Entrepôts Buchanan

CANADA MALTING CO. LTD.

actuellement: Canada Maltage Limitée

photo 1976

5052, rue Saint-Ambroise, Montréal

Propriétaire: Canada Maltage Limitée
Superficie du terrain: 8 317 m^2
Superficie de plancher des bâtiments: 16 005 m^2
Superficie de plancher du bâtiment historique: 8 615 m^2

L'architecte a utilisé des motifs d'inspiration néo-romane comme le groupement des fenêtres cintrées en façade et aux étages supérieurs de la partie arrière. L'appareillage de la brique au niveau du rez-de-chaussée n'est pas sans rappeler celui de la Andrew Gault Co. construit en 1900-01, au 351 rue Duke que l'on attribue au même architecte. Ce même appareillage demeure intéressant au niveau des corniches qui divisent les étages.

Dans ce secteur industriel de Saint-Henri, Spence a aussi conçu les édifices de la Mount Royal Spinning Wool et de la Colonial Bleaching & Printing Company (ce dernier est maintenant démoli).

Années	Étapes de construction	Architecte
1905	construction[1,2,3,4,5]	D. Jerome Spence[5]
1963	agrandissement[4]	

1. Ministère de la Justice, Bureau d'enregistrement du District de Montréal
2. *The Montreal Daily Star*, March 10, 1906
3. *La Presse*, 3 juin 1981
4. St-Henri: *L'Univers des Travailleurs*, Les éditions Albert Saint-Martin, 1974
5. Ministère des Affaires culturelles: dossier du Unity Building

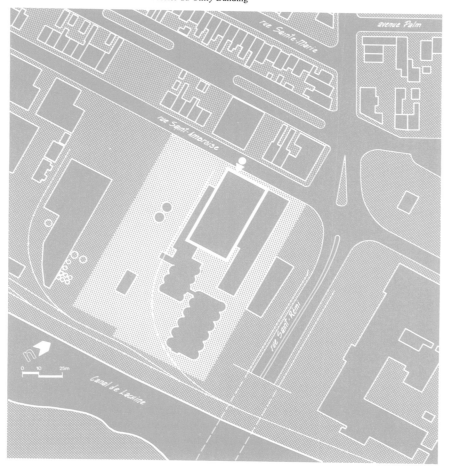

CANADIAN BAG COMPANY
actuellement: Overseas Chemical Co. Ltd.

2491, rue Saint Patrick, Montréal

photo 1982

Propriétaire: Overseas Chemical Co. Ltd.
Superficie du terrain: 4 737 m²
Superficie de plancher des bâtiments: 12 688 m²
Superficie de plancher des bâtiments historiques: 7 229 m²

La Canadian Bag est typique de l'architecture industrielle du début du siècle: expression de la structure par le rythme des pilastres de brique, large fenestration, tout en conservant quelques éléments de décor (corniches de brique, détails de la tour).

Années	Étapes de construction	Architecte	Entrepreneur
1913-14	construction[1,2,4]		
1951	agrandissement à l'arrière, pour un entrepôt[3]	Charles A. Mitchell[3]	
1973	agrandissement sur le côté[3]		Richard Blondeau[3]

1. Charles E. Goad: *Atlas of the City of Montreal*, Vol. II, 1913, planche 203
2. *Lovell's Montreal Directory*, 1912-13, 1913-14, 1914-15
3. Service des permis et inspections de la Ville de Montréal
4. Ministère de la Justice, Bureau d'enregistrement du District de Montréal

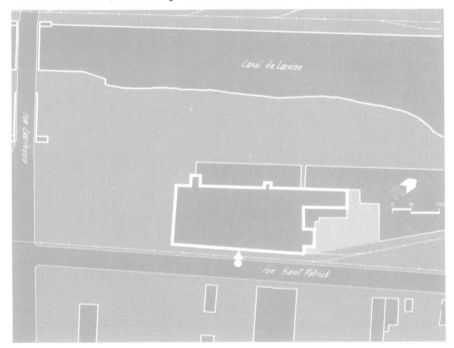

CANADIAN SWITCH & SPRING COMPANY
actuellement Northern Telecom

1401-1545, rue Saint Patrick, Montréal photo 1980

Propriétaire: Succession Mailman et Parcs Canada
Superficie du terrain: 14 915 m²
Superficie de plancher du bâtiment: 1 300 m²
Superficie de plancher du bâtiment historique: 1 300 m²

Cet édifice, actuellement occupé par la Northern Telecom, fut construit à l'origine par la compagnie Canadian Switch & Spring, incorporée en 1897 et qui fabriquait dans sa fonderie du matériel électrique ou à vapeur pour l'équipement roulant des chemins de fer[1]. En 1903, la compagnie transféra ses avoirs à la Montreal Steel Works Co. et fut successivement connue sous les raisons sociales de Canadian Steel Foundry et de Canadian Car and Foundry Co.[1]. Cette fonderie était reliée de près aux ateliers de la Pointe Saint-Charles de la société du Grand Tronc, situés un peu plus au sud et où l'on fabriquait et réparait le matériel roulant de la compagnie.

Années	Étapes de construction	Architectes	Entrepreneurs
1898-99	construction[1,3]		
1942	agrandissement[2]	Spence & Burge[2]	The Foundation Company of Canada: entrepreneurs[2]

1. Ministère de la Justice, Bureau d'enregistrement du District de Montréal
2. Service des permis et inspections de la Ville de Montréal
3. *Lovell's Montreal Directory,* 1898 à 1907

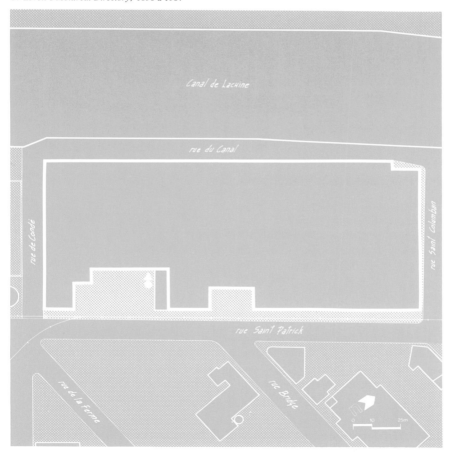

CLARK BELL FACTORY

actuellement: Mahonco Inc.

5010, rue Saint Patrick, Montréal

photo 1980

Propriétaire: Mahon Hardware Co. Ltd.
Superficie du terrain: 12 654 m^2
Superficie de plancher des bâtiments: 1 546 m^2
Superficie de plancher du bâtiment historique: 1 162 m^2

C'est de Louisa Frotingham, fille légataire de George-Henri Frotingham, fondeur, et épouse de John H. R. Molson, fondateur de la brasserie du même nom, que Charles Orlando Clark, manufacturier de cloches résidant à Côte Saint-Paul, acheta, en 1893, le terrain de la rue Saint Patrick[1]. D'après l'acte de vente, l'usine construite sur le terrain avant la transaction appartenait déjà à Clark[2,4]

Le caractère massif de cette architecture de brique convient bien à la fonction d'origine du bâtiment, une fonderie.

98

Année	Étape de construction
Vers 1893	construction[1,3]

1. Ministère de la Justice, Bureau d'enregistrement du district de Montréal
2. *Lovell's Montreal Directory*, 1871, 1872
3. Archives de la Ville de Montréal
4. Hopkins, H. W., *Atlas of the City of Montreal and vicinity*, 1879

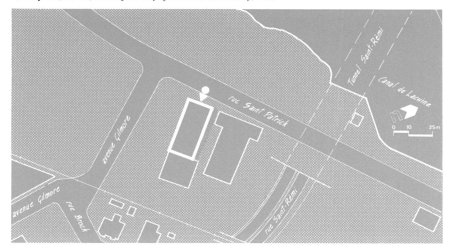

CRANE CO. LIMITED

2240-50, rue Pitt,
3820, rue Saint Patrick, Montréal

photo 1980

Propriétaire: Turcot Plant Holding Limited et Gewurz Holdings Limited
Superficie du terrain: 9 801 m^2
Superficie de plancher des bâtiments: 22 043 m^2
Superficie de plancher des bâtiments historiques: 9 887 m^2

L'intérêt architectural tient surtout à l'utilisation des pilastres de béton armé comme éléments décoratifs, ce qui confère à l'ensemble un caractère massif. L'image de solidité ainsi créée convient bien à une entreprise spécialisée dans la fabrication de tuyaux et de soupapes de fonte.

Année	Étape de construction	Architectes	Entrepreneurs
1919	construction[1]	Brown & Vallance[1]	Anglin-Norcross: entrepreneur général[1] Trussed Concrete Steel Co.: structure[1]

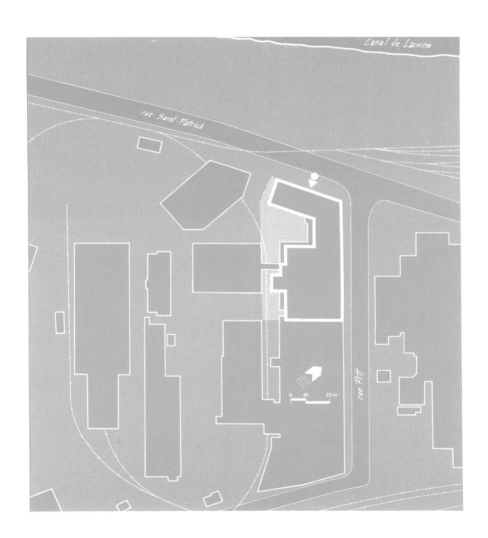

CRANE CO. LIMITED

Années	Étapes de construction	Entrepreneurs
		John Watson & Son: fer ornemental[1] Quinlan Cut Stone Co.: pierre de taille[1] Douglas Bros.: toiture et solins[1] Alex Craig Ltd.: peinture et vitrerie[1] Garth Co.: plomberie, chauffage[1] Canadian Comstock Co. Ltd.: installation électrique[1]
1920	agrandissement[2]	Dominion Bridge Company: acier[2] J. P Dupuis Ltd.: menuiserie[2] Douglas Brothers Company Ltd.: toiture[2]
1929	agrandissement[3]	Atlas Construction: entrepreneur général[3] Dominion Bridge Co. Ltd.: acier[3] Metal Shingle & Siding Co.: porte coupe-feu[3] Canadian Welding Co. Ltd.: fer ornemental[3] Jos Walker Hardware Co.: quincaillerie[3]

Année	Étape de construction	Entrepreneurs
1930	addition d'un étage de 130′ par 330′ à la fonderie[4]	United Engineers and Contractors: entrepreneur général[4] D. Veroch Construction Co. Ltd.: excavation[4] Dominion Bridge Co. Ltd.: structure d'acier[4] Ready Mix Concrete Ltd.: béton[4]

1. *The Contract Record and Engineering Review*, Vol. XXXIV, no. 51, December, 1919
2. *The Contract Record and Engineering Review*, Vol. XXXV, no. 48, December, 1920
3. *The Contract Record and Engineering Review*, Vol. XLIV, no. 38, September, 1930
4. *The Contract Record and Engineering Review*, Vol. XLIV, no. 41, October, 1930

CRATHERN AND CAVERHILL
actuellement: Caverhill, Learmont & Co. Limited

1061-1065, rue de la Commune ouest, Montréal

photo 1974

Propriétaire: Caverhill, Learmont & Co. Limited
Superficie du terrain: 1 903 m²
Superficie de plancher du bâtiment: 3 806 m²
Superficie de plancher du bâtiment historique: 3 806 m²

Fondée en 1854, l'importante entreprise de quincaillerie Crathern and Caverhill fut l'un des pionniers de ce genre de commerce à Montréal. En 1865, elle fit construire un premier magasin-entrepôt au 455 de la rue Saint-Pierre. C'est en 1884, suite à son association avec Joseph B. Learmont, que l'entreprise prit le nom qu'elle conserve encore de nos jours, la Caverhill and Learmont[3].

L'entrepôt de la rue de la Commune (autrefois Colborne à ce niveau) fut construit en 1871. Le caractère primitif de cette architecture de pierre brute indique bien la fonction secondaire du bâtiment. L'édifice faisait partie de tout un ensemble d'entrepôts dont la plupart ont été démolis pour faire place à l'autoroute Bonaventure.

Année	Étape de construction

1871   construction[1,2]

1. Rôles d'évaluation de la Ville de Montréal, 1871
2. Archives Nationales, Greffe J. S. Hunter, 27 décembre 1870, minute n⁰ 16304
3. Industries of Canada, City of Montreal, 1886

photo 1974

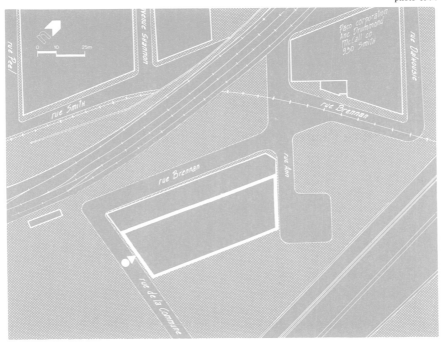

DARLING BROS. LTD.
actuellement: Darling Duro Ltée

140, rue Prince, Montréal

photo 1980

Propriétaire: Darling Bros. Ltd.
Superficie du terrain: 3 325 m²
Superficie de plancher du bâtiment: 9 845 m²
Superficie de plancher du bâtiment historique: 1 155 m²

La fonderie Darling Bros. a occupé un vaste complexe de part et d'autre de la rue Ottawa. Le bâtiment répertorié est l'édifice à bureaux construit en 1909.

Années	Étapes de construction
Vers 1888	construction d'une usine[1]
1890	construction de la fonderie au nord de la rue Ottawa[2]

Années	Étapes de construction	Architectes	Entrepreneurs
1909	construction de l'édifice à bureaux[3]		
1918	construction de la nouvelle fonderie à l'angle nord-est des rues Prince et Ottawa[4]	T. Pringle & Son, ingénieurs[4]	The Foundation Company: entrepreneur général[4] Fred A. McKay: fer ornemental[4] Steel and Radiation Ltd.: structure[4] Douglas Bros: couverture[4]
1927	construction d'une usine, rue Prince[4]		Bonnell Bros:[4]
1938	rénovations[5]	T. Pringle & Son, ingénieurs[5]	A. F. Byers & Co. Ltd.[5]
1941	agrandissement de deux étages[5]	B. R. Perry[5]	A. F. Byers & Co. Ltd.[5]
1941	agrandissement de deux étages à l'usine[5]	T. Pringle & Son, ingénieurs[5]	A. F. Byers & Co. Ltd.[5]
1941	réfection d'une des façades[5]	R. E. Bostrom	A. F. Byers & Co. Ltd.

1. Archives de la Darling Bros.
2. Sauvons Montréal: *Les Quartiers du centre-ville de Montréal, Les Récollets*, Montréal, 1977
3. *The Contract Record and Engineering Review*, Vol. XXXII, no. 48, November 27, 1918
4. *The Contract Record and Engineering Review*, Vol. XLI, no. 11, March 16, 1927
5. Services des permis et inspections de la Ville de Montréal

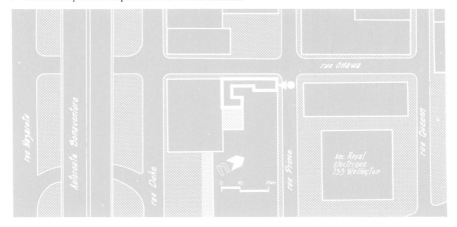

DOMINION FLOUR MILLS CO. LTD.
actuellement: La Coopérative Fédérée du Québec

photo 1982

4350-4394, rue Saint-Ambroise, Montréal

Propriétaire: Les Élévateurs Fédérés Limitée
Superficie du terrain: 8 233 m²

Selon nos recherches, cet édifice a été construit entre 1912 et 1914. À l'origine, il abritait: le bureau, la boutique, l'entrepôt et le moulin de la Dominion Flour Mills[1,2]. Son intérêt réside dans sa fonction continue d'industrie agro-alimentaire, malgré une succession de propriétaires, de même que dans ses éléments architecturaux comme la fenestration jumelée qui accentue la perception des travées.

1. Greffe William Cox, vente de Douglas W. Ogilvie à Dominion Flour Mills Co. Ltd., le 9 août 1911
2. *Lovell's Montreal Directory*, 1910 à 1916

WILLIAM DOW BREWERY CO.
actuellement: La Brasserie O'Keefe

990, rue Notre-Dame ouest, Montréal

photo 1982

Propriétaire: La Brasserie O'Keefe Limitée
Superficie du terrain: 10 860 m²
Superficie de plancher du bâtiment historique: 4 586 m²

La brasserie Dow fut fondée en 1790 par Thomas Dunn à La Prairie qui déménagea ses installations à Montréal en 1808, sur le site qu'occupe aujourd'hui la brasserie O'Keefe. Vers 1818, Thomas Dunn entra en société avec William Dow qui allait devenir l'unique propriétaire de la brasserie au décès de son associé. En 1841, Andrew Dow rejoignit son frère et fonda la William Dow and Company. Parmi ses multiples fonctions, William Dow fut directeur de la Bank of British North America et de la St. Lawrence and Champlain Railroad[4]. En 1909, la brasserie Dow se fusionna, à Montréal, avec les brasseries Dawes, Ekers et Union pour former la National Breweries Limited, une société de gestion de brasseries[1,2]. En 1952, le contrôle de cette société passa à la Canadian Breweries Limited de Toronto[3].

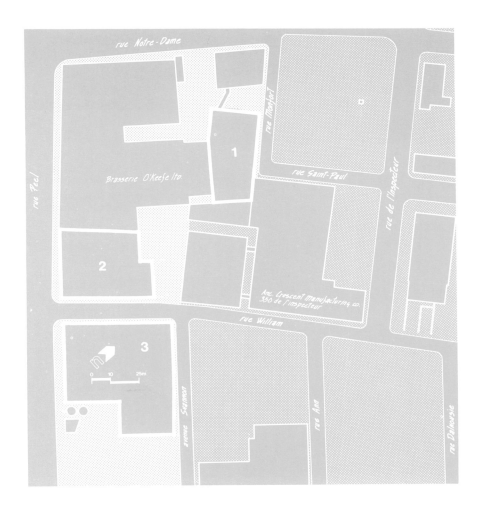

Années	Étapes de construction	Architecte	Entrepreneurs
Vers 1860	construction d'ateliers de brasserie, en pierre, de style vernaculaire[1]		
1924-25	construction d'une nouvelle brasserie, d'un entrepôt, des chambres de maturation, des bouilloires et des machines, sur la rue Peel entre les rues Notre-Dame et William[1,2,5]	Louis A. Amos[2]	Canadian Vickers: structure The Foundation Company of Canada: fondations[2] Atlas Construction Co.: entrepreneur général[2]
1928	modifications à la brasserie de la rue Peel[9]		Church & Ross: entrepreneurs généraux[9]
1929	construction des garages sur la rue William, entre les rues Peel et Shannon[6,7]	Louis A. Amos[6,7]	Atlas Construction Co.: fondations et entreprise générale[6,7] Kendal Brothers Co.: excavations[8] Truscon Steel Co.: acier d'armature[8] Morrison Quarry Co.: pierre de taille[8] Traversey Ltd.: menuiserie[8] Geo. W. Reed & Co. Ltd.: toiture[8] Thomas O'Connell: plomberie et chauffage[8] Richard Wilcox Co. Ltd.: portes roulantes[8] McNulty Brothers: plâtrage[8]

WILLIAM DOW BREWERY CO.

photo 1975: bâtiment 1 vu de la rue Monfort

Le bâtiment apparaissant sur la photo et identifié par le chiffre 1 sur le croquis est ce qui reste des constructions de 1860, tel que vu de la rue Montfort. Les autres bâtiments retenus pour les fins du répertoire sont la brasserie de 1924-25 et les garages de 1929, identifiés respectivement par les chiffres 2 et 3 sur le croquis d'implantation.

1. Brasserie O'Keefe
2. Service des permis et inspections de la Ville de Montréal
3. *L'Hôtellerie*, vol. XLII, n° 4, janvier 1968
4. *25ᵉ Anniversaire de la National Breweries Limited*, brochure commémorative, 1934
5. *The Contract Record and Engineering Review*, Vol. XXXVIII, no. 11, March 12, 1924
6. *The Contract Record and Engineering Review*, Vol. XLIII, no. 22, June 29, 1929
7. *The Contract Record and Engineering Review*, Vol. XLIII, no. 30. July 24, 1929
8. *The Contract Record and Engineering Review*, Vol. XLIII, no. 37, September 11, 1929
9. *The Contract Record and Engineering Review*, Vol. XLII, no. 47, November 28, 1928

ENTREPÔT WILLIAM DOW

696, rue William, Montréal

Propriétaire: Gideon Loran
Superficie du terrain: 1 168 m^2
Superficie de plancher des bâtiments: 6 073 m^2
Superficie de plancher des bâtiments historiques: 6 073 m^2

Selon nos recherches, cet édifice, aussi connu sous le nom de Hill Warehouse, aurait été construit pour William Dow, le fondateur de la brasserie du même nom, qui l'aurait utilisé comme entrepôt[2]. L'édifice apparaît sur une carte topographique de 1846[4], mais il est insuffisamment décrit dans l'acte de vente de 1844 par lequel William Dow acquiert la propriété pour dater avec certitude la construction d'avant 1844[1]. Dans un acte de vente de 1868, la propriété comprend des magasins et des entrepôts en pierre[3]. À l'origine, il s'agissait d'un immeuble de trois étages, auquel on ajouta, après 1891, deux étages supplémentaires, couronnés par un toit plat.

Architecturalement, l'édifice de style vernaculaire est similaire à de nombreux entrepôts construits dans ce secteur près du port dans les années 1850: édifice de trois étages en pierre taillée avec chaînages d'angle en pierre à refend, fenestration de petites dimensions disposée de façon régulière, forme rectangulaire allongée, toiture à faible pente à deux versants.

114

L'entrepôt Dow est construit en mitoyenneté avec la résidence Bagg, angle
William et King.

1. Greffe Isaac Gibb, vente de la faillite d'Arlin Bostwick à William Dow, le 17 mai 1844
2. Archives de la Ville de Montréal, Rôles d'évaluation du quartier Sainte-Anne, 1850 à 1856
3. Greffe J. S. Hunter, vente de William Dow à Gilbert Scott, le 5 février 1868
4. Cane, James: *Topographical and Pictorial map of the City of Montreal*, 1846

photo 1982

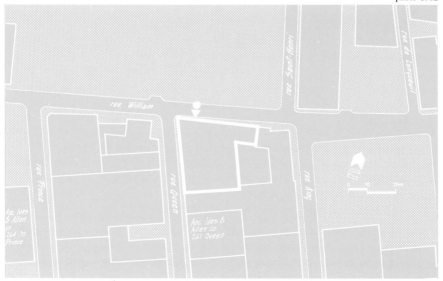

DRUMMOND McCALL COMPANY LIMITED

930, rue Smith, Montréal

photo 1980

Propriétaire: Paco Corporation
Superficie du terrain: 2 529 m²
Superficie de plancher du bâtiment: 5 327 m²
Superficie de plancher du bâtiment historique: 2 157 m²

Fondée en 1881, la Drummond McCall and Company était l'un des principaux importateurs de produits d'acier de Grande-Bretagne et d'autres pays européens. L'adoption, en 1887, d'une politique tarifaire visant à restreindre les importations et favoriser le développement de l'industrie locale incite la compagnie à développer son secteur de distribution de produits canadiens, dont ceux de l'Algoma Steel Company de Sault Ste-Marie[4].

Implanté sur le site d'une ancienne caserne de pompiers, le bâtiment occupe l'entière superficie de cet emplacement de forme trapézoïdale et se développe symétriquement de part et d'autre de l'angle tronqué de l'entrée principale, bien exprimée par le contraste du béton sur la brique.

Années	Étapes de construction	Architectes	Entrepreneurs
1923	construction[1,2]	F. G. Robb[1]	A. F. Byers & Co. Ltd.: entrepreneur général[1]
1981	agrandissement du côté est[3]	Nathan Schertzer[3]	La compagnie Paco[3]

1. Service des permis et inspections de la Ville de Montréal
2. Ministère de la Justice, Bureau d'enregistrement du District de Montréal
3. La Paco Corporation
4. *The Book of Montreal*, E. J. Chambers ed., Montreal, 1903

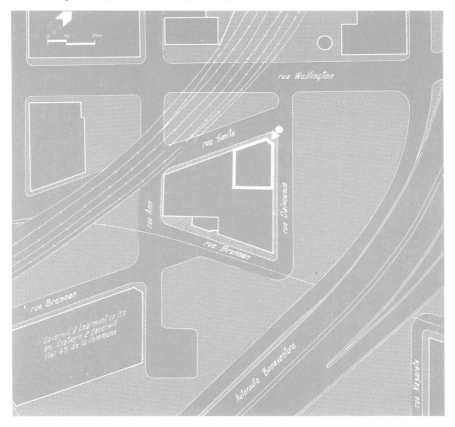

ÉLÉVATEUR À GRAINS Nº 1

Port de Montréal, face à la rue McGill

photo 1982

Propriétaire: Gouvernement du Canada

Cette structure est intéressante parce qu'elle est un prototype architectural de construction industrielle. De plus, elle affirme le rôle important de Montréal dans la manutention des grains.

Années	Étapes de construction	Architectes
1901	construction[1,3,4]	
1914	agrandissement[2]	Architectes de la Commission du Port de Montréal[2]

1. Dossier 25: *Inventaire des bâtiments du Vieux Montréal,* ministère des Affaires culturelles, Direction générale du patrimoine, 1977
2. *The Gazette,* July 22, 1914
3. Archives de la Ville de Montréal
4. Conseil des Ports Nationaux

ÉLÉVATEUR À GRAINS N° 5

photo 1982

Port de Montréal, face au bassin Windwill Point

Propriétaire: Gouvernement du Canada

L'élévateur n° 5 a été construit en 1906 pour contenir 139 000 tonnes de grains. Tout comme l'élévateur n° 1, son intérêt architectural tient surtout à son rôle de prototype.

Le Corbusier et Gropius considéraient que les élévateurs du port de Montréal étaient parmi les plus importantes réalisations de l'architecture moderne.

Années	Étapes de construction
1906	construction[1]
1958	agrandissement[1]

1. Conseil des Ports Nationaux

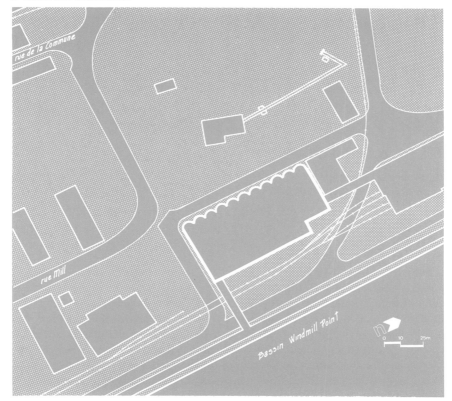

GAULT BROTHERS COMPANY
Actuellement: édifice multifonctionnel

350, rue de l'Inspecteur, Montréal

photo 1982

Propriétaire: Les Immeubles Bona Limitée
Superficie du terrain: 5 667 m^2
Superficie de plancher du bâtiment: 5 375 m^2
Superficie de plancher du bâtiment historique: 5 375 m^2

L'édifice de la Gault Brothers, qui devint la Crescent Manufacturing en 1903, possède des éléments néo-romans très intéressants. Architecturalement, la composition est proche de l'autre manufacture construite pour Andrew Frederick Gault, sur la rue Duke. Gault était très actif dans le domaine du textile dans la région de Montréal, car en plus de posséder des manufactures de chemises, il était directeur des filatures Mount Royal Spinning Wool et Merchants Manufacturing Co. situées sur le canal de Lachine, dans le secteur Saint-Henri/Côte Saint-Paul. Cette manufacture de chemises fut construite sur l'ancien emplacement de la fonderie Clendenning.

Années	Étapes de construction	Architectes	Entrepreneur
1901	construction[1,3,4]	Finley & Spence[4]	
1923	construction d'un garage[2]		
1940	déplacement et renforcement d'un mur en brique[2]		Louis Donolo Inc.: entrepreneur[2]

1. Ministère de la Justice, Bureau d'enregistrement du District de Montréal
2. Service des permis et inspections de la Ville de Montréal
3. *The Book of Montreal*, E. J. Chambers ed. Montreal 1903
4. *The Canadian Architect and Builder*, Vol. XIV, no. 161, 1901

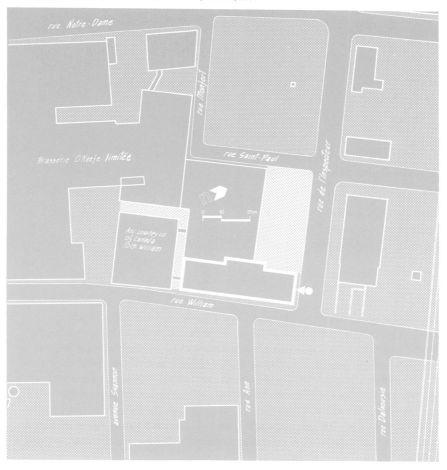

ANDREW FREDERICK GAULT CO.

actuellement: Wolsey

351, rue Duke, Montréal

Propriétaire: Théo Mayer Shoe Company Ltd.
Superficie du terrain: 709 m²
Superficie de plancher du bâtiment: 2 514 m²
Superficie de plancher du bâtiment historique: 2 514 m²

Cet édifice aurait été construit vers 1900 pour le manufacturier Andrew Frederick Gault[1,2,5]. La conception pourrait en être attribuée aux architectes Finley and Spence qui conçurent à la même époque, pour le même propriétaire et dans le même quartier, une autre manufacture[3], la Crescent Manufacturing, au 350 rue de l'Inspecteur. La similitude de conception se manifeste plus spécifiquement dans le volume des édifices, l'utilisation de la pierre bosselée pour les fondations, l'utilisation de la brique rouge, la forme des fenêtres des murs latéraux avec allèges en pierre grise, l'inscription des fenêtres de façade dans des arcades, le recours au même appareil de brique pour le couronnement de la façade.

Pour le présent édifice, les éléments d'inspiration néo-romane sont cependant plus affirmés. Il faut également noter en façade du rez-de-chaussée l'appareil de brique en imitation de pierre à refend. En bon état de conservation, cet édifice est situé dans l'ancien jardin du Petit Séminaire[4].

Années	Étapes de construction	Entrepreneurs
Vers 1900	construction[5]	
1942	aménagement de bureaux et peinture[6]	R. & E. Ryan Limited[6]
1945	installation de soufflets mécaniques *(mechanical bellows)*[6]	Yvan Finesman Mfg.[6]

1. Ministère de la Justice, Bureau d'enregistrement du District de Montréal
2. Archives de la Ville de Montréal, Rôle d'évaluation du quartier Sainte-Anne
3. *Canadian Architect and Builder*, Vol. XIV, no. 161, 1901
4. Archives de la Ville de Montréal
5. *Lovell's Montreal Directory*, 1898-99, 1900-01
6. Service des permis et inspections de la Ville de Montréal

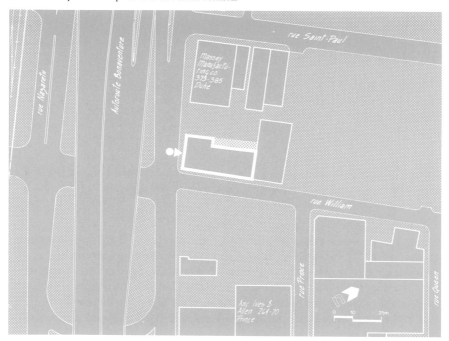

GLENORA MILL (A. W. OGILVIE & CO.)

actuellement: entrepôts

45, rue des Seigneurs, Montréal

photo 1982

Propriétaires: Miller Brothers & Sons et Hall Engineering
Superficie du terrain: 3 068 m^2
Superficie de plancher du bâtiment: 2 642 m^2
Superficie de plancher du bâtiment historique: 2 642 m^2

Selon des renseignements obtenus de la compagnie Ogilvie, l'édifice de la rue des Seigneurs aurait été construit en 1886 pour servir d'entrepôt. Cependant, sur la façade ouest, un reste de mur en pierre à moëllons de l'ancien moulin de 1837 ou de son agrandissement de 1851 est toujours visible.

Le premier moulin à être construit sur ce site fut celui de la société Gouldie & Ogilvie en 1837[1]. En 1851 il est agrandi et porte le nom de Glenora Mill; presqu'au même moment, la Société devient la A. W. Ogilvie & Co. alors qu'elle est prise en main par Alexander Walter Ogilvie[2]. La demande croissante pour le blé moulu oblige la compagnie à agrandir le moulin et l'espace d'entreposage, notamment pour répondre aux commandes qui lui viennent de l'armée américaine.

126

En 1886, on modernise les édifices et la machinerie du moulin Glenora en même temps que l'on procède à la construction du moulin Royal, sur la Côte St-Paul. Cette même année, le moulin Glenora pouvait moudre 1 200 barils de farine par jour alors que l'on utilisait le débit de l'eau du canal pour activer les roues du moulin[3].

En 1902, la succession de William Watson Ogilvie vendit les propriétés de la compagnie à une société présidée par le financier Charles R. Hosmer, qui prit le nom de «The Ogilvie Flour Mills Co. Ltd.»[3].

L'édifice est situé dans un ensemble industriel qui a été peu modifié depuis près de 100 ans et qui a été mis en valeur par l'ouverture des berges du canal au public.

1. Archives de la Ville de Montréal
2. Greffe Lacombe, bail Ira Gould et John Young à Alexander W. Ogilvie, le 12 août 1851
3. Stevens, G. R., *Ogilvie in Canada, Pioneer Millers, 1801-1951,* McLaren and Son Limited, Toronto, 1951

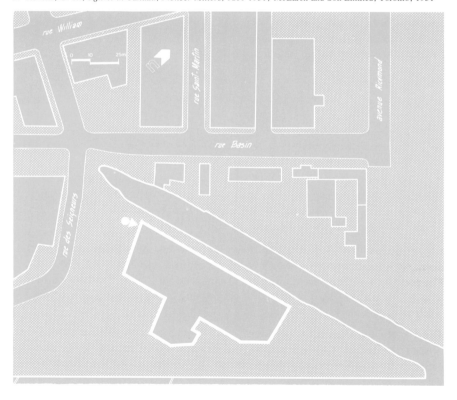

HARRISON BROTHERS
actuellement: La Boulangerie POM

4680, rue Sainte-Catherine ouest, Westmount

Propriétaire: Boulangerie POM
Superficie du terrain: 6 455 m²
Superficie de plancher des bâtiments: 7 593 m²
Superficie de plancher du bâtiment historique: 3 927 m²

Cet ensemble rappelle, par son «Mission style» d'inspiration californienne, la laiterie Elmhurst, construite trois ans plus tôt par le même architecte Sydney Comber. Ce dernier s'était d'ailleurs mérité le surnom de «Baker architect», en raison du grand nombre de boulangeries qu'il construisit.

L'histoire personnelle de Dent Harrison, le fondateur de la POM, est un exemple impressionnant d'imagination et d'esprit d'entreprise. En 1909, la Harrison sera notamment la première boulangerie au monde à utiliser un four à plateau mobile, alors que la biscuiterie Viau utilisait déjà ce procédé depuis 1867 pour la cuisson des biscuits.

C'est après une association peu fructueuse de cinq ans avec la Continental Baking des U.S.A. que la Harrison entreprendra la construction de son usine de la rue Sainte-Catherine, et prendra le nom de POM pour «Pride of Montreal» ou «Pain orgueil de Montréal».

Années	Étapes de construction	Architectes	Entrepreneurs
1930	construction de la boulangerie[1,2,3,4,5]	Sydney Comber[1,2,3,4,5]	L. A. Ott & Co.: excavations[1,2] Concrete Construction Ltd.: entrepreneur général[1,2] Henderson Barwick Co.: cheminée[1,2]
1953	agrandissement[3]	Brais et Savard[3]	

1. *The Contract Record and Engineering Review*, Vol. XLIV, no. 28, July 9, 1930
2. *The Contract Record and Engineering Review*, Vol. XLIV, no. 20, May 14, 1930
3. Bureau des permis de la Ville de Westmount
4. Sally Hooff & Aline Gubbay: *La petite montagne / Un portrait de Westmount*, Éditions du Trillium, Westmount, 1979
5. Betty Guensey: *Dent Harrison and POM Bakery of Montreal 1890-1980*, Montréal 1980

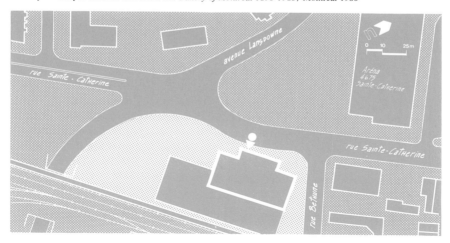

JOHN C. HODGSON COMPANY

4110, rue Saint-Ambroise, Montréal

photo 1980

Propriétaire: The Steel Company of Canada Limited
Superficie du terrain: 16 036 m²
Superficie de plancher des bâtiments: 17 167 m²
Superficie de plancher des bâtiments historiques: 7 082 m²

Au moment de l'établissement de son entreprise à Saint-Henri en 1889, John C. Hodgson s'était vu accorder par le conseil de la Municipalité de Saint-Henri une exemption de taxes pour vingt ans, à la condition de procurer de l'emploi à 50 travailleurs de la ville. En 1924, l'entreprise passa à la Steel Company of Canada, déjà établie angle Notre-Dame et Charlevoix depuis 1910, et maintenant connue sous le nom de Stelco.

L'ensemble construit initialement pour John Hodgson a été détruit par un incendie en 1980: les bâtiments qui restent datent de 1926 et 1929.

Années	Étapes de construction	Entrepreneurs
1889	construction d'une fonderie pour J. C. Hodgson[1]	
1926	agrandissement[2]	John McGregor Ltd.: entrepreneur[2]
1929	agrandissement de l'usine, en brique[3]	Mander & Lucas: entrepreneurs généraux[3] Dominion Bridge Co. Ltd.: structure[3] Geo. W. Reed: toiture[3]

1. Greffe William de M. Marler, vente de Louis Tourville à John C. Hodgson, le 28 janvier 1889
2. Service des permis et inspections de la Ville de Montréal
3. *The Contract Record and Engineering Review*, Vol. XLIII, no. 31, July 31, 1929

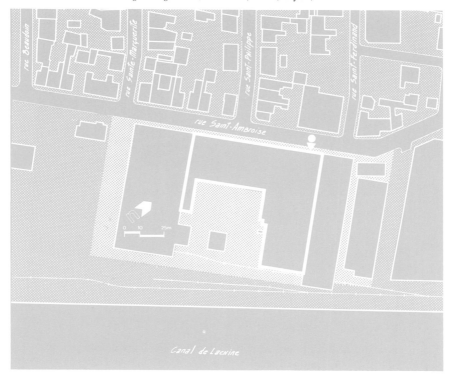

IVES AND ALLEN COMPANY

261, rue Queen, Montréal

photo 1982

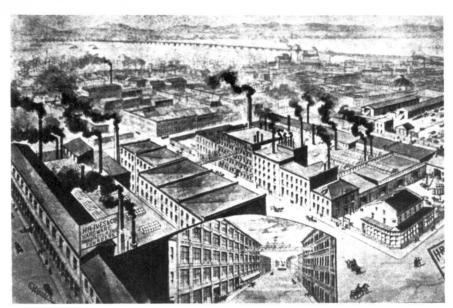

dessin 1891

Propriétaire: Adja Anshell
Superficie du terrain: 760 m²
Superficie de plancher du bâtiment: 3 039 m²
Superficie de plancher du bâtiment historique: 3 039 m²

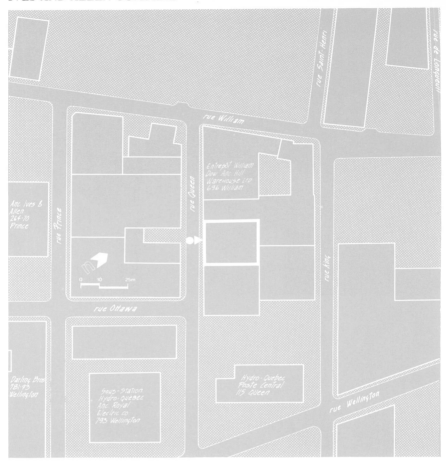

Les établissements de la Ives and Allen constituaient, à la fin du siècle dernier, un complexe de près de 3 acres de superficie sur les rues Prince, Duke, Queen et Ottawa du faubourg des Récollets, sans compter la fonderie de Longueuil[5]. L'entreprise employait alors quelque 300 personnes.

L'édifice du 261 Queen aurait été construit entre 1866 et 1874[1] et, selon certaines sources, plus précisément en 1872[2], d'après des plans de l'architecte Alexander Hutchison[3].

La Ives and Allen Co. se spécialisait dans les produits domestiques en fonte (quincaillerie, poêles, fournaises, etc.) et le fer ornemental[4]. La façade en fonte de la rue Queen constituait donc une véritable marque de commerce pour cette compagnie fondée par Hubert R. Ives en 1857[6].

Années	Étape de construction	Architecte
1864-72[1,2]	construction	Alexander C. Hutchison[3]

1. Greffe Casimir Papineau, vente de John Reid et Al à Hubert Root Ives et Roger Newton Allen, manufacturiers, le 2 mai 1868. Greffe Casimir Papineau, acte de dissolution entre Hubert Root Ives et Roger Newton Allen, le 4 avril 1874
2. Greffe Casimir Papineau, acte de mitoyenneté entre Hubert Root Ives, manufacturier, et James Hardman, le 29 septembre 1874
3. Greffe Charles Cushing, vente de droit de mitoyenneté de Hubert Root Ives à la succession William Dow, le 2 juillet 1886
4. Sauvons Montréal: *Les quartiers du centre-ville de Montréal, les Récollets*, Montréal 1977
5. *Montreal, Commercial Metropolis of the Dominion*, 1891
6. *Industries of Canada, City of Montreal*, The Historical Publishing Co., Montréal, 1886

JENKINS BROTHERS LIMITED
actuellement: édifice multifonctionnel

617, rue Saint-Rémi, Montréal

photo 1981

Propriétaire: Joseph Drazin
Superficie du terrain: 10 823 m²
Superficie de plancher du bâtiment historique: 2 160 m²

Cette fonderie est un bon exemple d'architecture industrielle fonctionnaliste du
tournant du siècle. L'intérêt architectural réside dans la rythmique des
ouvertures et des piliers, l'harmonie des proportions et l'appareillage de la
brique. La partie supérieure de la tour est également intéressante. L'ensemble
se rapproche architecturalement du complexe industriel conçu la même année
par l'architecte Carmichael pour la compagnie Northern Electric and
Manufacturing, rue Guy.

Années	Étapes de construction	Architectes	Entrepreneurs
1906	construction[1,2]	D. R. Brown et Hugh Vallance[1,2]	
1925	agrandissement à l'arrière de l'atelier d'usinage[3]		Cook and Leitch Co.[3]
1926	agrandissement de la fonderie[3]		Cook and Leitch Co.[3]
1941	agrandissement (chauffage), ajout d'un étage à l'expédition, ajout de deux étages aux bureaux[3]		Cook and Leitch Co.[3]

1. *Canadian Architect and Builder*, Vol. XIX, no. 11, November 1906
2. *Canadian Architect and Builder*, Vol. XIX, no. 12, December 1906
3. Service des permis et inspections de la Ville de Montréal

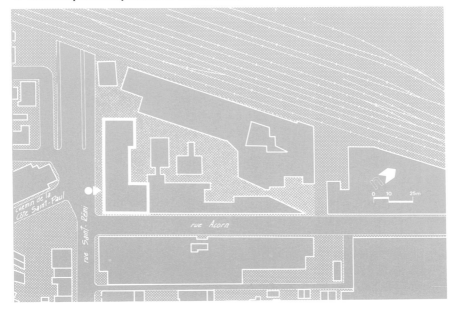

ENTREPÔTS DE WILLIAM BUSBY LAMBE

actuellement: John Cuggy & Co.

731, rue de la Commune ouest, Montréal

photo 1982

Propriétaire: Kenneth Cuggy
Superficie du terrain: 307 m²
Superficie de plancher du bâtiment: 628 m²
Superficie de plancher du bâtiment historique: 628 m²

Source: Archives nationales du Québec.

dessin 1857

D'après les contrats de construction[1,2] et les plans conservés aux Archives nationales[3], ces entrepôts auraient été construits en 1857, d'après des plans des architectes Hopkins, Lawford et Wilson, par Andrew Elliot, charpentier-menuisier[1] et James Manor, maçon[2]. À l'origine, ces entrepôts étaient en pierre taillée avec des chaînes d'angle, en pierre de taille. Un fronton triangulaire en bois cachait le palan. Les fenêtres jumelées disposées symétriquement de chaque côté des portes sont de type vernaculaire avec linteaux et jambages en bois. Dans l'ensemble de la rue de la Commune, les entrepôts Lambe sont un rare exemple d'entrepôts construits en pierre taillée, alors qu'habituellement ils étaient construits en pierre de taille.

L'édifice n'a aujourd'hui que deux étages, et son toit est plat, alors que les plans montrent un bâtiment de trois étages avec un toit à pignon.

ENTREPÔTS DE WILLIAM BUSBY LAMBE

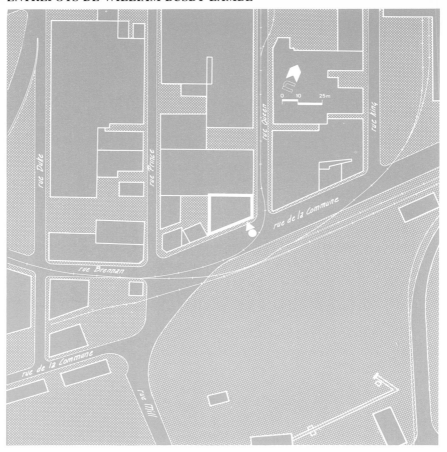

Années	Étapes de construction	Architectes	Entrepreneurs
1857[1,2]	construction	Hopkins, Lawford and Nelson[3], architectes	Andrew Elliot, charpentier-menuisier[1] James Manor, maçon[2]
1965	réparations intérieures[4]	Brian R. Perry & Associates, ingénieurs	

1. Contrat de construction entre William B. Lambe et Andrew Elliot, le 11 février 1857, Me J. S. Hunter, minute 2120
2. Contrat de construction entre William B. Lambe et James Manor, le 11 février 1857, Me J. S. Hunter, minute 2119
3. Archives nationales du Québec à Montréal, cartothèque, collection des plans
4. Service des permis et inspections de la Ville de Montréal

WALTER M. LOWNEY CO. OF CANADA
actuellement: édifice multifonctionnel

1015, rue William, Montréal

photo 1981

Propriétaire: Les Immeubles Bona Ltée
Superficie du terrain: voir dossier de Gault Brothers Co.
Superficie de plancher du bâtiment: 5 806 m²
Superficie de plancher du bâtiment historique: 2 554 m²

L'intérêt architectural de cet édifice tient surtout à la rythmique des travées de façade, qui en accentue la verticalité, de même qu'à la conservation, à quelques détails près, de son aspect d'origine.

142

Années	Étapes de construction	Architectes	Entrepreneur
Vers 1905	construction[1]		
1950	ajout de trois étages à l'arrière[2]	Luke & Little[2]	Louis Donolo[2]

1. Ministère de la Justice, Bureau d'enregistrement du District de Montréal
2. Service des permis et inspections de la Ville de Montréal

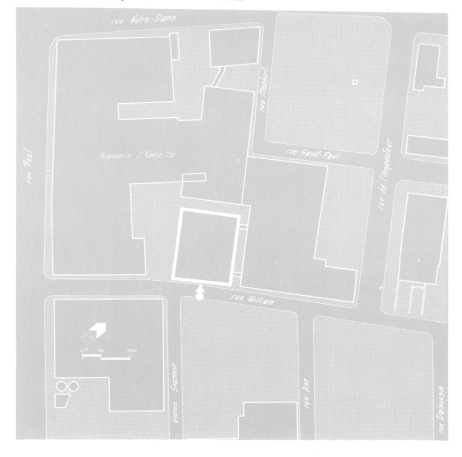

MASSEY MANUFACTURING CO.
actuellement: Murray McCracken Company Ltd.

375-85, rue Duke, Montréal   photo 1980

Propriétaire: Murray McCracken Company Ltd.
Superficie du terrain: 670 m²
Superficie de plancher du bâtiment: 2 044 m²
Superficie de plancher du bâtiment historique: 2 044 m²

Excellent exemple très bien conservé de l'architecture industrielle de la fin du XIXᵉ siècle, la Massey est particulièrement intéressante pour la différence de traitement entre les deux façades et pour la recherche de son appareil de brique, et ce tout en conservant à l'ensemble une étonnante sobriété. On notera le couronnement des travées et, surtout, l'encorbellement de la corniche.

Années	Étapes de construction	Architecte	Entrepreneur
Vers 1891	construction[2,3]		
1941	renforcement de la structure[1]	C. D. Goodman[1]	Montclair Construction: entrepreneur général[1]

1. Service des permis et inspections de la Ville de Montréal
2. *Lovell's Montreal Directory,* 1890, 1891, 1892
3. Ministère de la Justice, Bureau d'enregistrement du District de Montréal

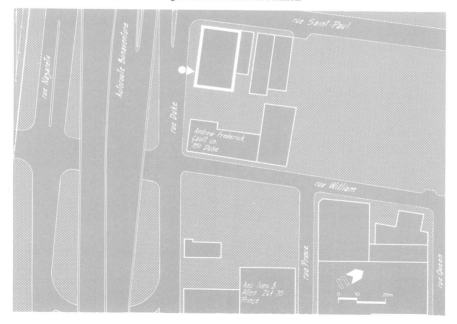

MERCHANTS MANUFACTURING CO.

actuellement: Coleco (Canada) Limitée

4000, rue Saint-Ambroise, Montréal

photo 1982

Propriétaire: Hyman Gorodensky et Al
Superficie du terrain: 20 470 m²
Superficie de plancher des bâtiments: 33 471 m²
Superficie de plancher des bâtiments historiques: 30 153 m²

dessin 1909

Le bâtiment est intéressant tant pour sa valeur historique que pour sa valeur architecturale. Il est important par son ancienneté mais également parce qu'il est typique des constructions industrielles des années 1880, avec ses tours abritant les escaliers de sauvetage, comme c'est le cas de l'édifice de la Belding, Paul Co. construit à la même époque. Ce type de construction se retrouvait fréquemment dans les zones industrielles de Boston et New-York.

L'industrie du textile se développa rapidement, à Montréal, grâce à un tarif douanier protectionniste mis en place par le gouvernement fédéral[6]. La Merchants Manufacturing Co. était l'employeur le plus important de Saint-Henri-des-Tanneries. La majorité des employés étaient des femmes. C'est aussi à cette usine qu'eut lieu la première grève du textile à Montréal, en 1891[6]. L'agrandissement de 1898 serait peut-être l'oeuvre de l'architecte D. J. Spence, d'origine américaine. Ce dernier signa à la même époque les plans de la Colonial Bleaching and Printing Co., de la Mount Royal Spinning Wool Co. (qui allait être annexée à la Dominion Textile en 1905), de la Canada Malting Co., toutes trois implantées le long du canal de Lachine, dans le secteur industriel de Saint-Henri et Côte Saint-Paul.

147

MERCHANTS MANUFACTURING CO.

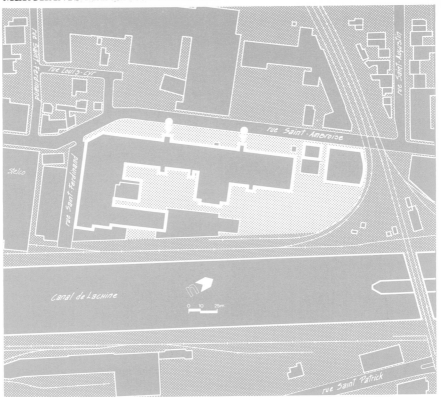

Années	Étapes de construction	Architecte	Entrepreneur
1880	construction de la première usine[1,2,3]		
1892	agrandissement[1]		
1898	agrandissement[1]		
1906	construction d'un entrepôt de sept étages, en brique, à façade convexe[4]	David R. Brown[4]	The Hussey Construction Co.[4]
1916	agrandissement de la manufacture, rue St-Ambroise[5]		

1. Dominion Textile Co.: documents relatifs aux assurances
2. Hopkins, Henry: *Atlas of the City and Island of Montreal, 1879*
3. Archives de la Ville de Montréal, rôles d'évaluation de la Municipalité de Saint-Henri, 1880 à 1890
4. *The Canadian Architect and Builder,* July 1906
5. *Construction,* Vol. IX, no. 9, September 1916
6. *Saint-Henri-des-Tanneries,* catalogue d'exposition, Y.M.C.A./groupe de recherche en animation urbaine, 1981

MONTREAL LIGHT HEAT AND POWER CONSOLIDATED
actuellement: Poste Atwater

arrière du 3013, avenue Verdun, Verdun

Propriétaire: Commission Hydroélectrique du Québec
Superficie du terrain: non-disponible
Superficie de plancher des bâtiments: 2 087 m²
Superficie de plancher du bâtiment historique: 1 320 m²

Il s'agit d'une utilisation tardive du style Beaux-Arts; cependant cette manière de faire avait toujours cours pour certains édifices de prestige tels le Palais de Justice (1923) et l'agrandissement de la Sun Life, square Dominion. Cet édifice traduit le symbole de respectabilité et de puissance que désirait véhiculer la compagnie.

Année	Étape de construction	Architectes	Entrepreneur
1928	construction[1,2]	Ingénieurs de la Montreal Light Heat and Power	John MacGregor Ltd.

1. *The Contract Record and Engineering Review*, Vol. XLII, nos 38 and 52, 1928
2. Bureau de l'Ingénieur, Ville de Verdun

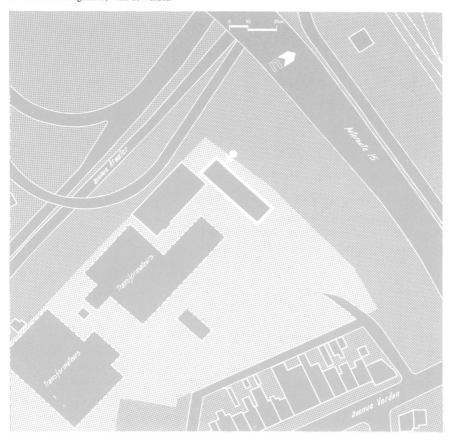

MOUNT ROYAL SPINNING WOOL COMPANY LIMITED
actuellement: The Dominion Textile Company

photo 1981

5524, rue Saint Patrick, Montréal

Propriétaire: The Dominion Textile Company
Superficie du terrain: 36 584 m²
Superficie de plancher des bâtiments: 49 894 m²
Superficie de plancher des bâtiments historiques: 563 m²

Au moment de la construction, le directeur de la compagnie était Andrew Frederick Gault qui possédait des manufactures de chemises dans le quartier Sainte-Anne, (la Andrew Frederick Gault et la Crescent Manufacturing). La société ne fut incorporée au groupe Dominion Textile qu'en 1919.[1,2]

L'intérêt architectural du complexe tient surtout à l'articulation des volumes et à la variation des ouvertures selon la fonction des bâtiments qui composent l'ensemble.

152

Années	Étapes de construction	Architecte	Entrepreneurs
1908	construction du moulin et de la filature	D. Jerome Spence[4]	
1928	agrandissement de deux étages à l'arrière[3]		Anglin-Norcross Limited[3]
1935	exhaussement de la partie arrière[3]		Atlas Construction Limited[3]
1947	agrandissement du bâtiment numéro 4 [3]		J. L. E. Price Company Limited[3]
1959	construction de la teinturerie[3]		Pentagon Construction[3]

1. Dominion Textile Company
2. Ministère de la Justice, Bureau d'enregistrement du District de Montréal
3. Service des permis et inspections de la Ville de Montréal
4. Ministère des Affaires culturelles, dossier Unity Building

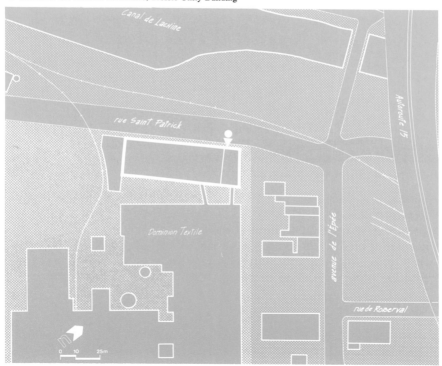

ALEXANDER MURRAY & CO. LTD.
actuellement: Archivex Inc.

4005, rue de Richelieu, Montréal   photo 1982

Propriétaire: Archivex Inc.
Superficie du terrain: 3 847 m²
Superficie de plancher du bâtiment: 6 426 m²
Superficie de plancher du bâtiment historique: 6 426 m²

Bon exemple de l'architecture fonctionnaliste de la fin des années 20, l'édifice est intéressant pour l'expression de sa structure par les pilastres de brique et le rythme des ouvertures.

Années	Étape de construction	Architectes	Entrepreneur
1928-29	construction[1,2,3]	T. Pringle & Son, ingénieurs	John McGregor Ltd., entrepreneur général[1,2]

1. *The Contract Record and Engineering Review*, Vol. XLII, no. 37, September 1928
2. Service des permis et inspections de la Ville de Montréal
3. Ministère de la Justice, Bureau d'enregistrement du District de Montréal

NEW CITY GAS COMPANY OF MONTREAL

956, rue Ottawa, Montréal

photo 1982

Propriétaire: Consolidated Fibers Limited
Superficie du terrain: 7 661 m²
Superficie de plancher des bâtiments historiques: 3 540 m²

photo 1982

Cet ensemble est particulièrement important pour son ancienneté et pour son évocation de l'époque où les rues de Montréal étaient éclairées au gaz. La New City Gas fut fondée en 1849 et acquit peu après la Montreal Gas Light Company qui fournissait déjà l'éclairage au gaz dans les rues de la Ville depuis 1837 [4,5,6].

Les deux bâtiments sont en brique sur fondations de pierre bosselée. L'utilisation des arcades aveugles rappelle la fabrique de pianos Thomas Hood conçue à la même époque par l'architecte William Footner.

157

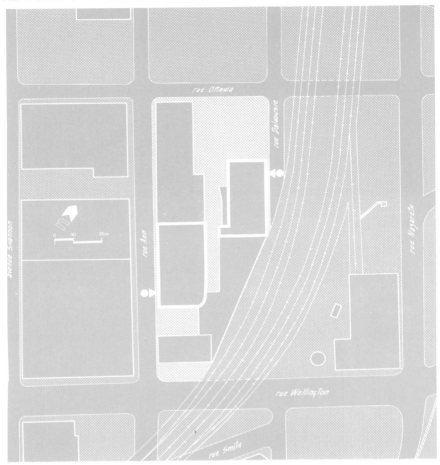

Années	Étapes de construction	Architectes	Entrepreneurs
1859-61	construction de l'édifice aux réservoirs, rue Ottawa[1]	John Ostell[1]	Edward Maxwell: entrepreneur de la toiture[1]
1861	construction de l'édifice, rue Dalhousie[2]	John Spiers[2]	John McElroy: surintendant des travaux[2] Augustus Laberge: maçonnerie[2] William Gardner et Noah Shaw: menuiserie[3]
1933	démolition partielle de l'édifice de la rue Dalhousie[7]	Bureau des Ingénieurs du Canadian National Railway[7] Bureau des Architectes de la Montreal Gas Co.[7]	

1. Contrat de construction, entre Edward Maxwell et la New City Gas Co., Me J. S. Hunter, le 30 avril 1859
2. Contrat de construction, entre Augustus Laberge et la New City Gas Co., Me J. S. Hunter, le 2 juillet 1861
3. Contrat de construction, entre William Gardner et Noah Shaw et la New City Gas Co., Me J. S. Hunter, le 2 juillet 1861
4. Centre de documentation, Hydro-Québec
5. Hogue, Clarence: *Québec, un siècle d'électricité,* Les Éditions Libre Expression, Montréal 1979
6. Commutation des droits seigneuriaux entre les Hospitalières de Saint-Joseph et Joseph Leitheretal, Me George Weckers, le 16 septembre 1847
7. Expropriation par le Canadian National Railway, Me Rosaire Dupuis, le 18 août 1933

NORTHERN ELECTRIC AND MANUFACTURING CO.

350-370, rue Guy, Montréal photo 1982

Propriétaire: Strathmar Properties Inc.
Superficie du terrain: 12 814 m²
Superficie de plancher des bâtiments: 19 721 m²
Superficie de plancher des bâtiments historiques: 18 087 m²

La compagnie Northern Electric and Manufacturing Co. fut incorporée en 1895. Avant d'emménager dans les locaux de la rue Guy, cette société occupait un atelier, propriété de la Bell Telephone, rue de l'Aqueduc (maintenant Lucien-L'Allier). Au moment de la mise en marche de la manufacture de la rue Guy, la compagnie employait près de 1 000 personnes[4].

L'intérêt architectural de ce vaste bâtiment tient au rythme de la fenestration et au traitement de la brique autour des ouvertures et sous la corniche.

Années	Étapes de construction	Architectes	Entrepreneurs
1906	construction[1,3,4]	W. J. Carmichael[1,3,4]	Shearer & Brown & Miller Co.[1,3,4]
1945	agrandissement de la manufacture et construction d'une chambre des bouilloires[2]	Archibald & Illsley[2]	Cook and Leitch Co.[2]

1. *Canadian Architect & Builder*, Vol. XIX, no. 223, July 1906
2. Service des permis et inspections de la Ville de Montréal
3. Ministère de la Justice, Bureau d'enregistrement du District de Montréal
4. Fonds Massicotte, Bibliothèque Nationale du Québec

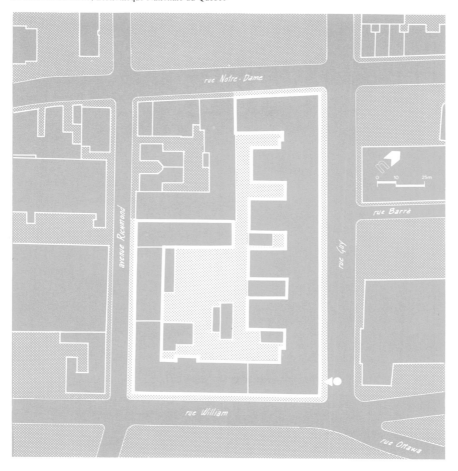

NORTHERN ELECTRIC CO. LTD.
actuellement: Centre industriel Nordelec

photo 1980

1730-1736, rue Saint Patrick, Montréal

Propriétaire: Centre industriel Nordelec Inc.
Superficie du terrain: 21 562 m²
Superficie de plancher du bâtiment: 96 189 m²
Superficie de plancher du bâtiment historique: 96 189 m²

L'édifice de la Northern Electric est construit sur l'ancien bassin de la raffinerie de sucre Redpath. Il illustre bien le nouveau type d'architecture industrielle à structure d'acier de la fin des années 20 : structure bien exprimée, large fenestration et décor simplifié, bien que l'utilisation de la pierre bosselée pour les fondations soit tardive.

Années	Étapes de construction	Architectes	Entrepreneurs
1913	construction[1,2]		
1926	addition de quatre étages[3,4]	J. O. Despatie[3]	E.G.M. Cape & Co.: entrepreneur général[4]
1928	construction d'un édifice d'un étage[3]	J. O. Despatie[3]	E.G.M Cape & Co.: entrepreneur général[5] Meldrum Iron Works Ltd.: fer ornemental[5]
1929-30	construction de deux ailes de quatre étages, agrandissement de l'usine, huit étages[3,6]	J. S. Cameron et J. O. Despatie[3,6]	Foundation Co. of Canada: entrepreneur général[6,7] Dominion Bridge Co.: acier de structure[6]

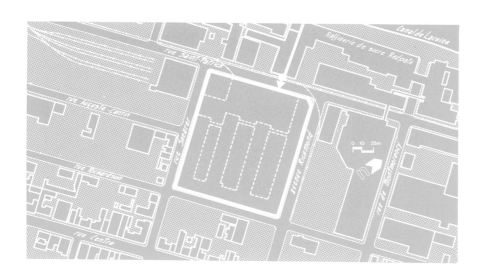

Années	Étapes de construction	Architectes	Entrepreneurs
			Campbell & Gilday Co. Ltd.: toiture[6,7] Vulcan Steel & Iron Works: fer ornemental
1948	agrandissement d'un étage[3]		Foundation Co. of Canada
1975	modifications intérieures[3]	J. W. Boilen, ingénieur[3]	Byers Construction[3]
1975	modifications intérieures pour aménagement de bureaux et d'une manufacture au rez-de-chaussée[3]	A. G. Lazzeri, architecte[3] W. H. Wilson, ingénieur[3]	Casey-Hewson Construction[3]

1. Service d'évaluation de la Communauté urbaine de Montréal
2. Charles E. Goad, ingénieur, *Atlas of the City of Montreal,* Vol. I, 1912, p. 25
3. Service des permis et inspections de la Ville de Montréal
4. *The Contract Record and Engineering Review,* Vol. XLI, no. 14, April 6, 1927
5. *The Contract Record and Engineering Review,* Vol. XLII, no. 2, January 2, 1928
6. *The Contract Record and Engineering Review,* Vol. XLIII, no. 20, May 15, 1929, — Vol. XLIII, no. 23, June 5, 1929 — Vol. XLIV, no. 43, October 22, 1930
7. *Journal, Royal Architectural Institute of Canada,* Vol. VIII, no. 5, May 1931

photo 1980

PHILLIPS ELECTRICAL WORKS
actuellement: Jean-Marie Chabot Inc.

1430, rue des Seigneurs, Montréal

photo 1982

Propriétaire: Jean-Marie Chabot Inc.
Superficie du terrain: 1 752 m²
Superficie de plancher des bâtiments: 2 703 m²
Superficie de plancher du bâtiment historique: 2 321 m²

Selon nos recherches, cet édifice a été construit en 1888[1] pour la compagnie A. W. Ogilvie & Co. qui ne l'occupa jamais[1,2] mais le loua plutôt, dès son parachèvement, à Eugene Phillips, président de la compagnie Phillips Electrical Works Co. Ltd. qui l'occupa jusqu'en 1905 [3].

L'édifice de quatre étages avec un rez-de-chaussée en pierre taillée est intéressant pour ses fenêtres regroupées par deux à l'intérieur de travées qui rythment bien la façade. Il forme un ensemble avec l'édifice de la Belding, Paul & Co. qui lui fait face et qui a été construit à la même époque (1884)[1].

1. Archives de la Ville de Montréal, Rôles d'évaluation du quartier Sainte-Anne, 1875-1890
2. *Lovell's Montreal Directory*, 1889-1890
3. *Lovell's Montreal Directory*, 1904-1905, 1905-1906

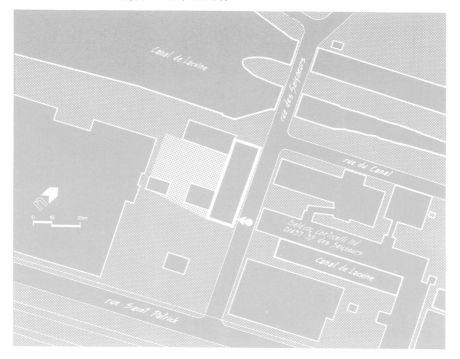

R. E. J. PRINGLE COMPANY
actuellement: édifice multifonctionnel

3450-3510, avenue Lionel-Groulx, Montréal

Propriétaire: A. Garmaise
Superficie du terrain: 4 538 m²
Superficie de plancher du bâtiment: 10 219 m²

Le complexe de la R. E. J. Pringle est constitué de trois corps de bâtiments dont les architectures traduisent vraisemblablement des fonctions différentes. Nous ne disposons d'aucune information sur la nature de cette entreprise qui s'est établie à Saint-Henri en 1906.

168

Années	Étapes de construction	Architectes	Entrepreneurs
Vers 1906-08	construction[1]		
1950	agrandissement[2]	Wood & Langsdow[2]	The Foundation Co.[2]
1952	exhaussement d'un étage, réfection de la structure[2]	Campbell & Wood, architectes[2] Wood & McAdam, ingénieurs[2]	

1. Ministère de la Justice, Bureau d'enregistrement du District de Montréal
2. Service des permis et inspections de la Ville de Montréal

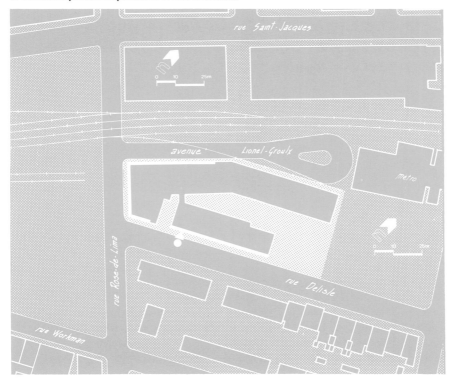

REDPATH SUGAR REFINERY
actuellement: Les Sucres Redpath Limitée

1720, rue du Canal, Montréal

photo 1960

Propriétaire: Les Sucres Redpath Limitée
Superficie du terrain: 39 948 m²

Une politique de protection du marché canadien par des tarifs douaniers élevés sur les sucres américains est à l'origine de la mise sur pied de la Redpath[1,6]. Celle-ci fut la première raffinerie d'importance à être construite à Montréal. John Redpath, son fondateur, Écossais de naissance, travailla comme entrepreneur-maçon à l'excavation du premier canal de Lachine[1,5]. Dans l'entreprise de la raffinerie, il s'associa à un chimiste, également Écossais de naissance, George A. Drummond, qui fut directeur puis président de la société jusqu'en 1907. Ces deux hommes jouèrent un rôle important dans le développement économique et culturel de la Ville de Montréal comme membres de la direction de la Banque de Montréal.

La famille Redpath est connue pour les donations importantes qu'elle fit à l'Université McGill pour la construction du Redpath Museum (musée de sciences naturelles) et de la Redpath Library[1,5].

L'ensemble de la raffinerie de sucre Redpath, construit sur les berges du canal de Lachine, est surtout intéressant au plan architectural par l'articulation de ses différents volumes.

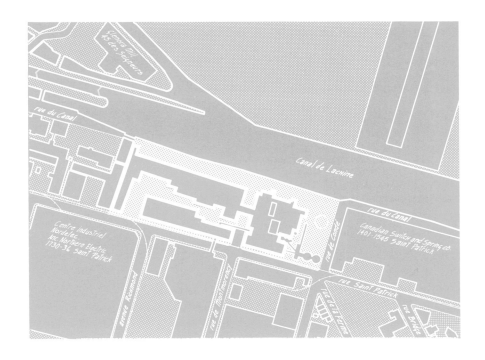

photo 1982

Années	Étapes de construction	Architectes
12 août 1854	début de la construction de la raffinerie: une raffinerie de sept étages en pierre et brique; deux entrepôts à sucre, en brique; une série d'édifices en brique de deux étages longs de 236 pieds comprenant les étables, la ferronnerie, la ferblanterie, la menuiserie et l'entrepôt de gaz[1,2,3,4,5]	Milne & Milne, ingénieurs[2]
janvier 1855	début de la production[1,5,6]	
1854-1856	construction d'ateliers à l'est de la raffinerie[2,3]	
1871	agrandissement[1]	George A. Drummond[1]

dessin 1856

Années	Étapes de construction
1876-1879	fermeture de l'usine à cause de la crise économique[1,5]
1880	mécanisation de la production, installation de nouvel équipement[1,5]
1892	construction d'une nouvelle raffinerie pour installer de la machinerie neuve[1]
1907-08	démolition de la raffinerie originale, reconstruction d'une nouvelle raffinerie de six étages, en brique[1,4,5]
1912	agrandissement de sept étages, en brique, à l'est de la construction de 1908[1]
1925-26	démolition de la section construite en 1892; modernisation de l'équipement[1,4]

1. Redpath: *One hundred years of progress, 1854-1954*
2. Archives nationales du Québec à Montréal
3. Le Musée du sucre Redpath
4. Parcs/Canada
5. Archives de la Ville de Montréal
6. Hamelin, Jean et Roby, Yves: *Histoire économique du Québec 1851-1896*, Montréal, Éditions Fides, 1971

ROBIN AND SADLER COMPANY
actuellement: G. W. Sadler Company Limited

1845, rue William, Montréal

photo 1982

Propriétaire: G. W. Sadler Company Ltd.
Superficie du terrain: 1 666 m²
Superficie de plancher des bâtiments: 2 889 m²
Superficie de plancher du bâtiment historique: 2 093 m²

Selon nos recherches, cet édifice a été construit de 1893 à 1894.[1,2,3]

Établie en 1876, cette compagnie fabriquait des courroies de cuir pour usage industriel ainsi que des boyaux à incendie. Originalement, elle était située plus à l'est, dans le quartier Sainte-Anne, près du square Chaboillez.

174

La société possédait une succursale à Toronto de même qu'une tannerie à Stanbridge-Est[4,5]. George Sadler, fondateur de la compagnie, est né à Montréal en 1852. Au tournant du siècle, il était échevin au Conseil de ville de Montréal en plus d'être membre du Conseil d'administration de plusieurs hôpitaux[5,6].

À l'origine, le bâtiment comportait de grandes baies vitrées dans la partie avant du rez-de-chaussée, qui servait probablement de salle de montre. L'édifice est intéressant pour son caractère massif, attribuable à la largeur des pilastres de brique et à l'arc en plein cintre de l'entrée principale.

Années   **Étape de construction**

1893-94   construction[1,2,3]

1. Archives de la Ville de Montréal, Rôles d'évaluation du quartier Sainte-Anne, 1890-1895
2. *Lovell's Montreal Directory*
3. *Canadian Engineer*, Vol. I, no. 1, May 1893
4. Industries of Canada, City of Montreal
5. *The Book of Montreal*, E. J. Chambers, ed. 1903
6. The Montreal Board of Trade, *Past and Present 1914-15*, Montréal

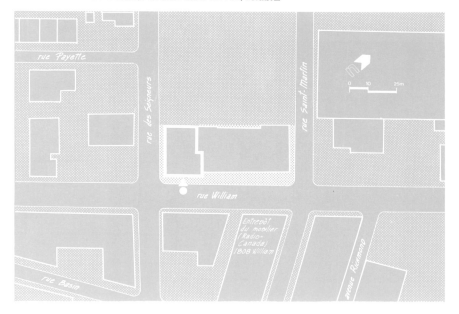

ROYAL ELECTRIC CO.
actuellement: Hydro-Québec, Poste de transformation Wellington

733, rue Wellington, Montréal

Propriétaire: Commission Hydro-électrique du Québec[1]
Superficie du terrain: 4 962 m²
Superficie de plancher du bâtiment: 2 516 m²
Superficie de plancher du bâtiment historique: 1 451 m²

Depuis sa construction en 1902[1], ce bâtiment a toujours été utilisé aux mêmes
fonctions. Son intérêt architectural réside dans l'équilibre de son volume
ainsi que dans la rythmique des arcades. La valeur didactique du bâtiment tient
à la façon dont on a utilisé le vocabulaire architectural de l'époque pour traiter
une fonction nouvelle. Ses arcades ne sont pas sans rappeler le traitement
des murs de la New City Gas Co., située tout près.

176

Années	Étapes de construction	Entrepreneur
1902	construction[1]	
1951	travaux de réfection à l'intérieur	Dansereau Ltée: entrepreneur[2]

1. Archives de la Ville de Montréal, Rôles d'évaluation du quartier Sainte-Anne, 1901 à 1904
2. Service des permis et inspections de la Ville de Montréal

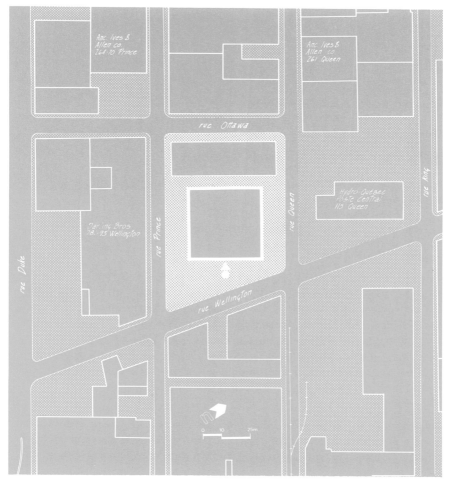

SHERWIN-WILLIAMS COMPANY LIMITED
actuellement: Sherwin-Williams du Canada

2855-2875, rue Centre, Montréal

photo 1980

Propriétaire: Sherwin-Williams du Canada Limitée
Superficie du terrain: 19 311 m^2
Superficie de plancher des bâtiments: 25 521 m^2
Superficie de plancher du bâtiment historique: 5 301 m^2

La compagnie Sherwin-Williams fut fondée à Cleveland en 1866, par Henry
Sherwin, auquel allait se joindre Edward Porter Williams en 1870. Dès 1892,
la compagnie s'associa à W. H. Cottingham qui devint l'agent de leurs
produits au Canada. En 1895, les tarifs douaniers devenant très élevés sur
les importations de peinture manufacturée aux États-Unis, la société
Sherwin-Williams décida d'ouvrir, à Montréal, une fabrique de peinture
et de vernis. En 1903, la société solidifia ses assises par la construction de son
ensemble manufacturier de la rue Centre. Elle employait alors environ
200 personnes.

Bon exemple de l'architecture industrielle du début du XXe siècle, l'édifice de
la rue Centre se caractérise surtout par son portique de style classique et un
appareil de brique intéressant au niveau du couronnement. Le dégagement du
parc d'Argenson, juste en face, permet une bonne perception du bâtiment.

Années	Étapes de construction	Architectes	Entrepreneurs
1903	construction de l'édifice à bureaux, de la chaufferie, de la ferblanterie, de l'usine à vernis et diluants et de divers entrepôts[1]	McVicar et Heriot[1]	Peter Lyall and Sons: entrepreneurs généraux[1] John Henderson: entrepreneur de l'usine de diluants[1]
1907	construction d'un entrepôt, rue Saint Patrick[1]		
1925	travaux en sous-oeuvre[2]	T. Pringle & Son, ingénieurs[2]	The Foundation Co. of Canada[2] Trussed Concrete Steel of Canada[2]

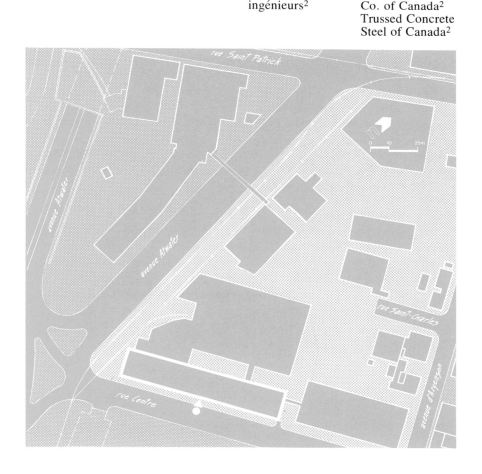

Années	Étapes de construction	Architectes	Entrepreneurs
	construction d'une manufacture de cinq étages[1,2]	T. Pringle & Son, ingénieurs[1,2]	A. F. Byers & Co.[2] Trussed Concrete Steel of Canada[2]
1930	construction d'une manufacture de trois étages, rue Centre[2,3]	Ross & Macdonald[1,2]	A. F. Byers & Co.[2,3] The Turnbull Elevators Co.[1]
1937	construction du moulin d'huile de lin, en brique et béton[1,2]	Ross & Macdonald[1,2]	The Foundation Co. of Canada[2] Jos Ballantyne[1] The Foundation Co. of Canada[1] John Colford Limited[1]
1942	réparations au moulin suite à un incendie[2]	Ross & Macdonald[2]	The Foundation Co. of Canada[2]
1946	transformation d'un entrepôt en espace à bureaux[2] — agrandissement de la manufacture de peinture[2]		The Foundation Co. of Canada[2]
1947	agrandissement du département de livraison[1,2]		The Foundation Co. of Canada[2]
1965-67	construction du centre de recherches[1,2]	Marshall & Merrett[1]	
1974	construction d'un centre de réception du matériel brut, entrepôt et usine[1]		

1. Service d'ingénierie, Sherwin-Williams du Canada Limitée
2. Service des permis et inspections de la Ville de Montréal
3. *The Contract Record and Engineering Review*, Vol. XLIV, no. 44, October 29, 1930

SHERWIN-WILLIAMS COMPANY LIMITED

photo 1980

ST. LAWRENCE ENGINE WORKS
actuellement: Bancroft

850, rue Mill, Montréal

photo 1982

Propriétaire: Bancroft Industries Ltd.
Superficie du terrain: 1 750 m²
Superficie de plancher du bâtiment: 4 230 m²
Superficie de plancher du bâtiment historique: 4 230 m²

Selon certains actes notariés du greffe de Théodore Doucet[1,2,4] cet édifice aurait été construit, entre 1854 et 1864, pour William Patrick Barthley, partenaire de la firme Barthley & Dunbar. D'après un protêt[3] adressé à Ebeneyer Gilbert par Barthley & Dunbar, il semble que les édifices soient déjà construits en 1856 et portent le nom de Saint Lawrence Engine Works. Toujours selon ces actes notariés, Barthley & Dunbar formaient une société d'ingénieurs et chaudronniers spécialisés dans la fabrication de certaines pièces de locomotive, notamment les chaudières. En 1864, suite à la faillite de Barthley & Dunbar, l'édifice fut racheté par Thomas Peck et James Benny représentant la compagnie Thomas Peck & Co. afin d'y installer leur nouvelle laminerie.

Une des clauses du bail de 1854 spécifiait que les édifices à être érigés sur ces lots ne pouvaient être construits qu'en pierre et en brique et les toitures recouvertes de tôle pour minimiser les risques d'incendie. Cet édifice appartient à l'architecture vernaculaire pour l'utilisation de certaines techniques de construction répandues à cette époque: maçonnerie de pierre taillée, chaînages d'angle et cadrages de fenêtres en pierre de taille, disposition symétrique des ouvertures. Le bâtiment s'apparente aux entrepôts Buchanan et Penn, dont il est contemporain, mais a été sensiblement modifié au cours des années.

Ce secteur du canal était apprécié des propriétaires de fonderies à cause de la force hydraulique que fournissait la dénivellation du canal à cet endroit.

1. Greffe Théodore Doucet, bail entre Les Travaux publics de la Province du Canada et William Patrick Barthley, le 23 septembre 1854
2. Greffe Théodore Doucet, vente par Trust & Loan Co. à Thomas Peck et James Benny, manufacturiers, le 25 avril 1864
3. Greffe Théodore Doucet, protêt, W. P. Barthley et J. Dunbar contre E. Gilbert, le 28 octobre 1856
4. Plan d'arpentage de la rue Mill et des lots adjacents, Henri-Maurice Perrault, 1853

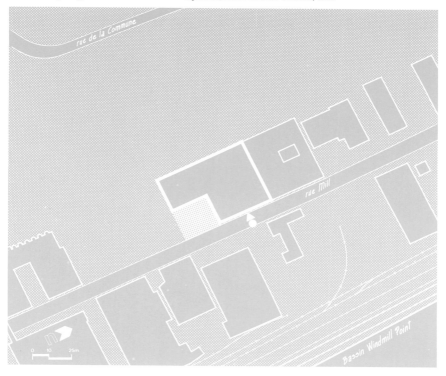

STEEL COMPANY OF CANADA LIMITED

photo 1981

11-35, rue Charlevoix
2320 rue Notre-Dame ouest, Montréal

Propriétaire: The Steel Company of Canada Ltd.
Superficie du terrain: 7 335 m²
Superficie de plancher des bâtiments historiques: 9 417 m²

photo 1981

Cette compagnie, maintenant connue sous le nom de Stelco, occupe un vaste complexe le long du Canal de Lachine, à l'est de la rue Charlevoix. N'ont été retenus, pour les fins du présent répertoire, que l'édifice en brique de la rue Charlevoix et la fabrique qui lui est perpendiculaire, le long du Canal de Lachine. L'édifice de la rue Charlevoix tire son intérêt architectural du rythme créé par la disposition des fenêtres à arc surbaissé ainsi que du couronnement; l'édifice se rapproche architecturalement de l'usine de la Sherwin-Williams, construite au tournant du siècle, un peu plus à l'ouest.

La fabrique construite le long du Canal de Lachine est déjà plus moderne dans sa conception. Très fonctionnaliste, la fenestration longue et étroite est soulignée par des linteaux de béton et encadrée par des travées. La corniche est accentuée par un couronnement de pierre calcaire.

Années	Étapes de construction
1910	construction d'une fabrique de boulons et de bureaux (rue Notre-Dame)[1]
1919	construction d'une fabrique d'écrous, avec quai de manutention, en béton[2]

1. Service d'évaluation de la Communauté urbaine de Montréal
2. *The Contract Record and Engineering Review*, Vol. XXXIV, no. 49, December 3, 1949

TERMINAL WAREHOUSING AND CARTAGE CO.

20-50, rue des Soeurs-Grises, Montréal   photo 1982

Propriétaire: Fendall Holdings Ltd., Remer Investments Co.
Superficie du terrain: 6 832 m^2
Superficie de plancher du bâtiment: 18 577 m^2
Superficie de plancher du bâtiment historique: 10 868 m^2

Architecturalement, l'édifice tire son intérêt du rythme de la fenestration, de l'appareil de brique au niveau du couronnement, de l'influence du style Beaux-Arts dans l'utilisation de ceintures de pierre qui délimitent les niveaux de l'ancienne partie. Cette manière, l'architecte Joseph-Omer Marchand l'a acquise lors de son séjour à l'école des Beaux-Arts de Paris. Il est le concepteur de nombreux édifices à Montréal tels: la Maison Mère des Soeurs de la Congrégation de Notre-Dame, la chapelle du Collège de Montréal, la prison de Bordeaux, la reconstruction de l'Hôtel de Ville. Cet entrepôt est le seul édifice à caractère industriel que nous connaissons de l'oeuvre de J.-O. Marchand[3].

Années	Étapes de construction	Architectes	Entrepreneur
1906	construction sur la rue Wellington[1,2]	Marchand & Haskell[2,3]	
1930	agrandissement de six étages du côté de la rue de la Commune[4,5,6]	John Schofield[5,6]	Atlas Construction Co. Ltd.: entrepreneur général[5]

1. Ministère de la Justice, Bureau d'enregistrement du District de Montréal
2. *Canadian Architect and Builder,* Vol. XIX, no. 219, May 1906
3. Centre de documentation en architecture canadienne, Université McGill, Montréal
4. *The Contract Record and Engineering Review,* Vol. XLIV, no. 21, May 21, 1930
5. *The Contract Record and Engineering Review,* Vol. XLIV, no. 35, August 27, 1930
6. *The Contract Record and Engineering Review,* Vol. XLIV, no. 25, June 18, 1930

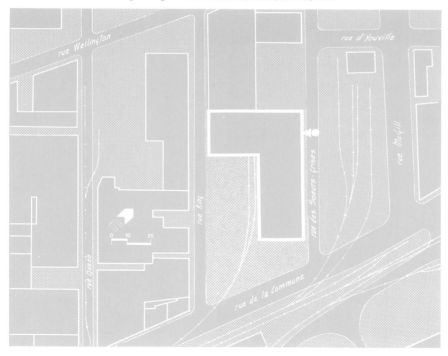

TOOKE BROTHERS LIMITED
actuellement: Grover's

640-44, rue de Courcelle, Montréal

photo 1982

Propriétaire: David Grover
Superficie du terrain: 6 665 m²
Superficie de plancher des bâtiments: 16 497 m²
Superficie de plancher du bâtiment historique: 16 302 m²

L'intérêt architectural de cet édifice industriel du début du siècle tient surtout à l'emphase accordée au traitement de sa partie supérieure par l'inscription de la fenestration du dernier étage dans des arcs cintrés et le recours à un appareil de brique plus élaboré au niveau du couronnement.

Avant d'emménager dans cet édifice, la fabrique de chemises Tooke avait occupé, place d'Youville, le Hagar Building[3] (répertorié dans la section du Vieux Montréal du présent recueil) et exploitait, depuis 1897, angle Ste-Catherine et Peel, un magasin conçu par l'architecte Edward Maxwell[4].

Années	Étapes de construction	Architectes	Entrepreneur
1900	construction[1,2]	MacDuff et Lemieux, architectes[1]	
1962	agrandissement[5]	R. Fisher, architecte[5]	D. E. Lespérance[5]

1. *Canadian Architect and Builder,* Vol. XIII, no. 9, September 1900
2. Ministère de la Justice, Bureau d'enregistrement du District de Montréal
3. Hallé, Jacqueline et Diane Lapierre: *Inventaire architectural du Vieux Montréal,* Ville de Montréal et ministère des Affaires culturelles, 1980, document inédit
4. Centre de documentation en architecture canadienne, Université McGill
5. Service des permis et inspections de la Ville de Montréal

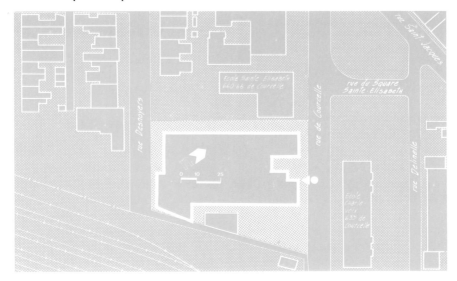

C. W. WILLIAMS MANUFACTURING COMPANY LTD.

705, rue Bourget, Montréal   photo 1981

Propriétaire: Standard Felt Products Ltd.
Superficie du terrain: 1 860 m²
Superficie de plancher des bâtiments: 7 823 m²
Superficie de plancher des bâtiments historiques: 7 823 m²

La compagnie américaine de machines à coudre C. W. Williams s'établit à
Saint-Henri en 1879 où elle fit construire un édifice de trois étages à toit plat.
Vers 1890, elle fit ajouter un étage supplémentaire, camouflé par une fausse
mansarde. Les entrées de façade sur la rue Saint-Antoine furent déplacées
lors de l'exhaussement de l'édifice et le motif des frontons fut repris dans la
fausse-mansarde[1,2,4]. L'agrandissement de cinq étages, érigé en 1916,
rue Bourget, fait maintenant partie du complexe de l'Imperial Tobacco.

Années	Étapes de construction	Architecte	Entrepreneurs
1879	construction[1,2]		
Vers 1890	ajout d'un étage en fausse mansarde[1,4]		
1916	agrandissement de cinq étages, rue Bourget[3]	J. Cecil McDougall[3]	Anglin Limited: entrepreneur général[3] Darling Brothers: élévateurs[3] John Watson & Son Limited: escaliers métalliques[3]

1. Saint-Henri des Tanneries, Catalogue d'exposition, Y.M.C.A., Groupe d'animation urbaine, Montréal 1981
2. Ministère de la Justice, Bureau d'enregistrement du District de Montréal
3. *The Contract Record and Engineering Review*, Vol. XXX, no. 11, March 1916
4. Plan de Saint-Henri, 1892, Archives nationales du Québec à Montréal, cartothèque

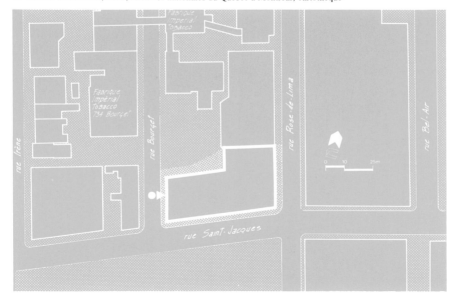

SECTEUR EST

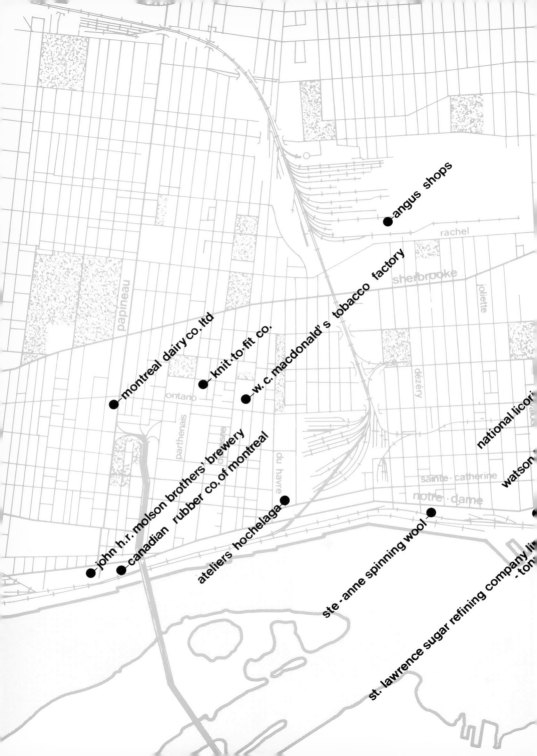

angus shops

rachel

sherbrooke

joliette

montreal dairy co. ltd

knit·to·fit co.

w. c. macdonald's tobacco factory

plessaud

ontario

dézery

parthenais

national licori

du havre

watson

sainte·catherine

notre·dame

john h. r. molson brothers' brewery

canadian rubber co. of montreal

ateliers hochelaga

ste·anne spinning wool

st. lawrence sugar refining company li
- ton

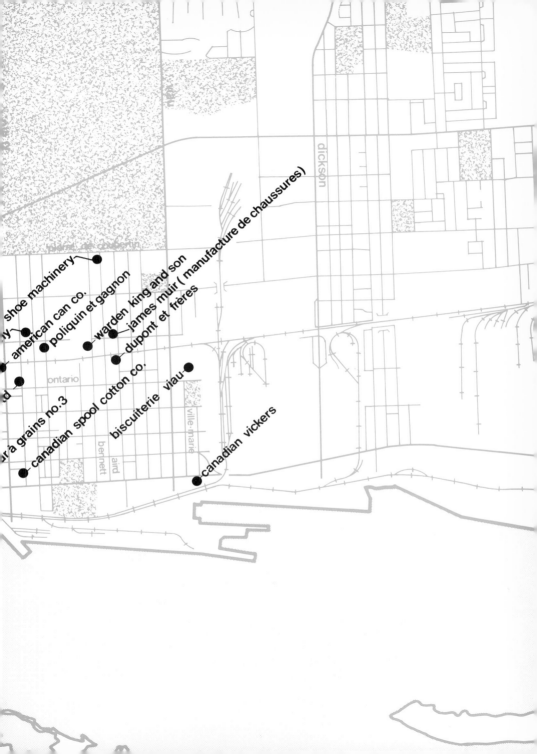

AMERICAN CAN CO.

2030-32, boulevard Pie-IX, Montréal

photo 1981

Propriétaire: American Can Canada Limited
Superficie du terrain: 8 001 m²
Superficie de plancher du bâtiment: 28 948 m²
Superficie de plancher du bâtiment historique: 28 398 m²

L'industrie de la conserverie en Amérique du Nord a fait un immense progrès en 1901 quand plusieurs petites entreprises fabriquant des boîtes de conserve aux États-Unis se sont réunies pour former l'American Can Company. En 1908, l'American Can achète l'Acme Can Work[1], déjà implantée sur le site du boulevard Pie-IX, et alors en difficulté financière. En 1918, elle construit le bâtiment actuel et devient rapidement l'un des employeurs les plus importants de Maisonneuve.

Le bâtiment est intéressant pour l'utilisation du béton armé, ce qui constituait une innovation pour l'époque, de même que pour certains éléments Art-Nouveau de sa façade principale.

Années	Étapes de construction		Entrepreneurs
1917-18	construction de la manufacture principale, en béton armé, du garage et de l'entrepôt de chargement[2,3]		Norcross Brothers Co.: entrepreneur général[3] A. B. Ormsby Co. Ltée: fenêtres, divisions d'acier, portes d'ascenseurs, coupe-feu[3] Canadian H. W. Johns-Manville Co. Ltd.: toiture[3] W. G. Edge Ltd.: plomberie et chauffage[3]

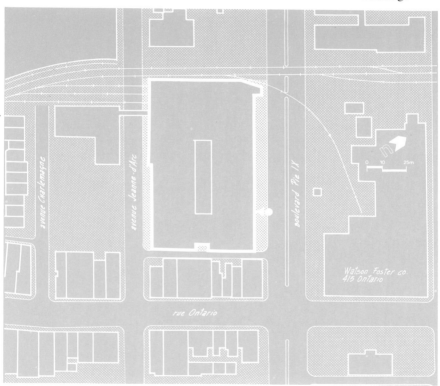

Années	Étapes de construction	Architecte	Entrepreneurs
1928	agrandissement de cinq étages de la manufacture, rue Jeanne-d'Arc[4,5,6]	C. G. Preis, ing.[4]	Church Ross Co. Ltd.: entrepreneur général[4,5,6] G. R. Locker Co.: marbre et tuile[5] Geo W. Reed & Co. Ltd.: toiture[5] Canadian Comstock Co.: électricité[5] John Tweddle Ltd.: plomberie[5] A. D. Clark & Sons: plâtre[5] E. Mapes: peinture et vernis[5] Canadian Welding Works Ltée: fer ornemental[5]
1939	agrandissement de la section rue Jeanne-d'Arc[4]	C. G. Preis, ing.[4]	Anglin-Norcross Ltd.[4]
1943	construction de la cheminée circulaire[4]		Anglin-Norcross (Québec) Ltd.[4]
1952	réaménagement intérieur[4]		A. F. Byers Construction Co. Ltd.[4]

1. *Intercan*, numéro du 75ᵉ anniversaire, Vol. III, nᵒ 2, juin 1979
2. Linteau, Paul-André: *Histoire de la ville de Maisonneuve 1883-1918;* Thèse de doctorat, Université de Montréal, 1975
3. *The Contract Record and Engineering Review*, Vol. XXXII, no. 16, April 17, 1918
4. Service des permis et inspections de la Ville de Montréal
5. *The Contract Record and Engineering Review*, Vol. XLII, no. 41, October 10, 1928
6. *The Contract Record and Engineering Review*, Vol. XLII, no. 52, December 26, 1928

AMERICAN CAN CO.

photo 1980

ANGUS SHOPS

3195, rue Rachel est, Montréal

Propriétaire: Canadian Pacific Railways
Superficie du terrain: 80,9 ha
Superficie de plancher des bâtiments: 109 069 m²
Superficie de plancher des bâtiments historiques: 99 534 m²

Les ateliers Angus occupent un terrain de 80,9 hectares délimité par les rues
Frontenac, Rachel, Bourbonnière et le boul. St-Joseph. C'est en 1903 que le
Canadien Pacifique avait construit ses premières installations sur ce site du
quartier Hochelaga. Ce vaste complexe, où l'on fabriquait et réparait le
matériel ferroviaire, comprenait plusieurs ateliers, un moulin à bois, un
magasin, une école pour apprentis, un hôpital, un poste de pompiers et une
banque. L'un de ces bâtiments, l'atelier d'usinage et de montage, était au
moment de sa construction le plus grand bâtiment sous un même toit au
Canada[1]. Durant les périodes les plus actives, 8 000 ouvriers y travaillaient.
Aujourd'hui, seule la section à l'ouest de la rue Davidson est encore utilisée.

photo 1981: poste de pompiers

Le bâtiment illustré sur la page de gauche est l'édifice administratif, angle Rachel et Dézéry. La composition d'ensemble fait appel au vocabulaire traditionnel de l'architecture industrielle de l'époque (utilisation de la brique, jumelage des fenêtres, expression de la structure par les pilastres), mais les concepteurs ont voulu illustrer la fonction administrative de l'édifice en lui donnant un toit à pavillon coupé de frontons triangulaires et en recourant à certains détails néo-romans comme l'arc en plein cintre autour de quelques ouvertures. Le Canadien Pacifique a d'ailleurs utilisé le vocabulaire néo-roman pour plusieurs de ses gares et de ses hôtels partout au Canada.

1. E. J. Chambers, ed.: *The Book of Montreal,* 1903
2. Archives du Canadien Pacifique

Référence	Fonction	Date de construction[2]
1	atelier de réparation des wagons de marchandise	1903
2	atelier de réparation des boggies	1903
3	atelier de mécanique	1903
4	atelier des croisements de rails	1903
5	fonderie	1903
6	atelier de réparation des locomotives	1903
7	forge	1903
8	administration	1903
9	poste de pompiers	Vers 1903
10	atelier de réparation des wagons	1913
11	atelier de réparation des locomotives	1913
12	forge	1913
13	génératrice	1918
14	atelier de réparation des wagons de marchandise	1919
15	magasin de patrons	1919
16	atelier de réparations générales	1941
17	administration	1941

7e avenue

rue Davidson

rue Rachel

5m

ATELIERS HOCHELAGA

actuellement: entrepôt

photo 1982

1425, rue du Havre, Montréal

Propriétaire: C.T.C.U.M.
Superficie du terrain: 4 677 m^2
Superficie de plancher du bâtiment: 2 380 m^2
Superficie de plancher du bâtiment historique: 2 380 m^2

Le bâtiment répertorié a été construit pour remplacer les ateliers détruits par un incendie en 1898[1]. Les ateliers Hochelaga servirent à la construction des tramways et des moteurs électriques[2].

206

Année	Étape de construction	Architectes
1899	construction[1]	Ingénieurs de la Montreal Street Railway Co.[1]

1. Archives de la Commission de Transport de la Communauté urbaine de Montréal
2. *The Canadian Engineer*, Vol. I, no. 1, May 1893

CANADIAN RUBBER CO. OF MONTREAL

1840, rue Notre-Dame est, Montréal   photo 1982

Propriétaire: Uniroyal Limitée
Superficie du terrain: 15 685 m²
Superficie de plancher du bâtiment: 36 685 m²
Superficie de plancher du bâtiment historique: 4 295 m²

En 1854, William Brown, Ashley Hibbard et George Bourn s'associent pour créer la première manufacture canadienne de transformation du caoutchouc. À l'origine on n'y fabriquait que des chaussures, pour ensuite diversifier les produits selon les nouveaux besoins, comme la fabrication de pneus avec l'avènement de l'automobile. La Canadian Rubber prospéra durant les deux grandes guerres et établit plusieurs points de fabrication à travers le monde, sous différentes appellations. Ce n'est qu'en 1966 que l'on regroupa tous les établissements sous le nom d'«Uniroyal».

dessin 1925

De style Second-Empire, le bâtiment de la rue Notre-Dame (anciennement Ste-Marie) occupait, au moment de sa construction en 1874, un espace beaucoup plus vaste. Une avancée centrale surmontée d'une mansarde était agrémentée d'une lanterne et chaque extrémité du bâtiment formait pavillon. Depuis, la moitié ouest de l'édifice a été démolie et la mansarde de la partie restante a été transformée.

Il est intéressant de noter qu'en vertu des règlements en vigueur à l'époque, le bâtiment aurait dû être construit en pierre. Dans son édition du 25 novembre 1873, *La Minerve* disait du projet de la Canadian Rubber que «...c'est une puissante compagnie; il lui en coûtera plus cher de construire en pierre, mais la différence de coût n'est pas assez importante pour mettre de côté un règlement dont l'application doit être uniforme pour être considéré comme juste et équitable». Il semblerait donc que la Canadian Rubber soit à l'origine de l'utilisation de la brique dans l'architecture industrielle à Montréal et que, sur ce plan, l'édifice de la rue Notre-Dame constitue un prototype.

209

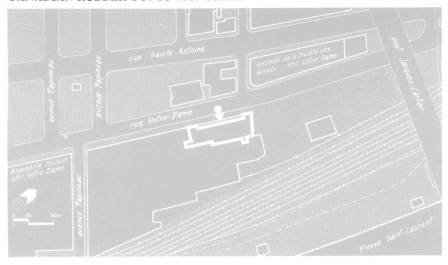

Années	Étapes de construction	Architectes	Entrepreneurs
1853-56	construction d'un ensemble d'édifices en brique et pierre[5] (démolis depuis)		
1873-74	construction de nouveaux édifices manufacturiers, rues Ste-Marie (Notre-Dame) et Monarque[2,5,6]		
Entre 1881 et 1903	agrandissement du côté est sur la rue Ste-Marie et prolongement de l'édifice rue Monarque, vers le port[6,7,8,9]		
1903	construction du nouvel édifice à bureaux, rue Ste-Marie[7,8]		
1911	construction d'un nouvel édifice, rue Monarque[1]	T. Pringle & Son, ingénieurs	E.G.M. Cape Co.: entrepreneur général[1]
1915	agrandissement et modifications[3]		G. M. Martin & Co.: entrepreneur général[3]

Années	Étapes de construction	Architectes	Entrepreneurs
1930	agrandissement de la station de pompage		P. Hjertholm: entrepreneur général[4]
1945-46	construction d'une nouvelle manufacture pour la fabrication de boyaux[4]	F. C. Miller, architecte T. Pringle & Son, ingénieurs[4]	The Foundation Co.[4]
1947	construction de trois étages à l'arrière du 1806 rue Notre-Dame est	T. Pringle & Son, ingénieurs[4]	Anglin-Norcross Québec Ltd.[4]
1957	agrandissement de la station de pompage[4]		The Foundation Co.: entrepreneur général[4]
1958	agrandissement de l'édifice construit en 1947 (édifice E)		

1. Département du Génie, Uniroyal Limitée
2. Archives nationales du Québec à Montréal, plans d'arpentage d'Henri-Maurice Perreault, «The Canadian Rubber Co., St. Mary's ward» n⁰ 27 (anciens bâtiments et nouvelles constructions projetées)
3. *The Contract Record and Engineering Review*, Vol. XXXIX, no. 31, August 4, 1915
4. Service des permis et inspections de la Ville de Montréal
5. Archives de la Ville de Montréal. Rôles d'évaluation du quartier Sainte-Marie, 1853 à 1857
6. *Canadian Illustrated News*, December 25, 1880
7. E. J. Chambers ed.: *The Book of Montreal*, Montréal 1903
8. Charles E. Goad, ing., *Atlas of the City of Montreal*, Vol. I, 1912
9. Charles E. Goad, ing., *Atlas of the City of Montreal*, 1881

CANADIAN SPOOL COTTON CO.
actuellement: J. P. Coats (Canada) Ltd.

421, boulevard Pie-IX, Montréal

photo 1981

Propriétaire: J. P. Coats (Canada) Ltd.
Superficie du terrain: 26 235 m²
Superficie de plancher des bâtiments: 32 030 m²
Superficie de plancher des bâtiments historiques: 3 606 m²

Années	Étapes de construction	Architectes	Entrepreneurs
1909	construction[1,2]		
1916	construction d'un moulin	D. R. Brown et Hugh Vallance[3]	Peter Lyall & Sons Co.
1922	construction d'un entrepôt		John Quinlan & Co.: entrepreneurs[4]; Thos. O'Connell: plomberie et chauffage

1. Linteau, Paul-André: *Histoire de la ville de Maisonneuve 1883-1918,* Thèse de doctorat, Université de Montréal, 1975
2. Dossier 25: *Inventaire des bâtiments du Vieux Montréal,* ministère des Affaires culturelles, Direction générale du patrimoine, 1977
2. *The Contract Record and Engineering Review,* Vol. XXX, no. 45, November, 1916
4. *The Contract Record and Engineering Review,* Vol. XXXVI, no. 39, September, 1922

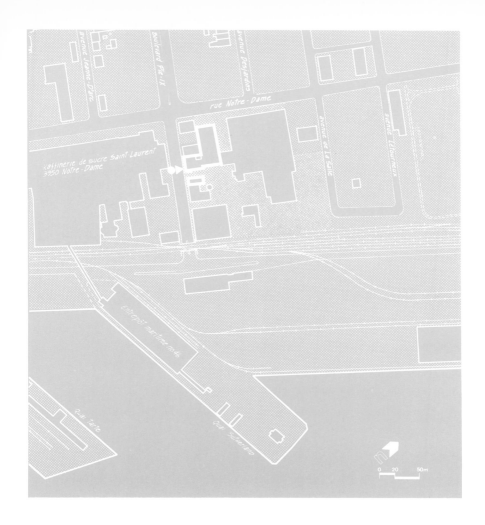

La «Canadian Spool Cotton Co. Ltd.», fabricant de fil et de soie, est une des nombreuses entreprises à qui le Conseil municipal de l'époque a consenti des exemptions de taxes pour les inciter à s'établir à Maisonneuve. La compagnie est maintenant connue sous le nom de «J. P. Coats Ltd.». Les deux bâtiments retenus ne sont qu'une partie d'un vaste ensemble qui occupe un site de plus de 2,6 hectares sur le boulevard Pie-IX, entre la rue Notre-Dame et le port.

CANADIAN VICKERS

3400, rue Notre-Dame est, Montréal

photo 1982

Propriétaire: Gouvernement Fédéral — Conseil des Ports nationaux
Superficie du terrain: 244 192 m²
Superficie de plancher du bâtiment: 40 823 m²
Superficie de plancher du bâtiment historique: 40 823 m²

C'est en 1911 que la société de Messrs. Vickers Ltd., de Barrow-in-Furness en Angleterre, décidait d'établir un chantier maritime à Montréal. Cette entreprise de construction navale allait devenir rapidement la plus importante au Canada[4]. Située dans la municipalité de Maisonneuve, la Vickers occupait un site de plus de 30 acres, avec un bassin de 12 acres, et employait quelque 2 000 hommes[5].

Le bâtiment illustré est, avec son toit brisé à surcroît, typique de l'architecture anglaise, sauf que ses murs sont en brique: «... the sides instead of being covered with corrugated sheeting, as is the usual practice in British yards, will be formed of brick, which besides being warmer during winter should be cooler during the summer months»[5]. Avec les années, d'autres bâtiments se sont ajoutés pour former le complexe actuel.

214

Années	Étapes de construction	Architecte	Entrepreneurs
1913	construction d'un bâtiment «pouvant contenir un vaisseau de 880 pieds»[1]	William Arrols of Clyde[1]	McArthur, Pile & Foundation Co., New-York[2]
1921	construction d'un édifice à bureaux et d'une usine de bateaux[3]		E. G. M. Cape & Co.

1. *The Canadian Engineer*, Vol. 25, September 4, 1913
2. *The Canadian Engineer*, Vol. 25, September 18, 1913
3. *The Contract Record and Engineering Review*, Vol. XXXVI, no. 4, January 25, 1922
4. Linteau, Paul-André: *Histoire de la ville de Maisonneuve, 1883-1918;* Thèse de doctorat, Université de Montréal, 1975
5. *The Canadian Engineer*, Vol. XXIII, no. 7, August 15, 1912

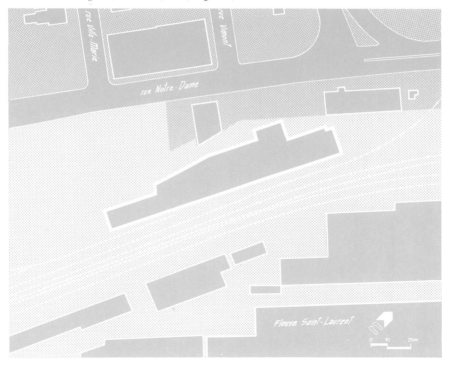

DUPONT ET FRÈRES

2037, avenue Aird, Montréal photo 1981

Propriétaire: Gilles Bougie Ltd.
Superficie du terrain: 1 594 m²
Superficie de plancher du bâtiment: 2 239 m²
Superficie de plancher du bâtiment historique: 2 239 m²

C'est en 1909 que l'entreprise Dupont et Frères vient se joindre à l'important groupe de fabricants de chaussures déjà établis à Maisonneuve. La partie à droite de l'entrée principale est le bâtiment d'origine, tel qu'il apparaît sur une photographie de 1910, alors que l'entrée principale et la partie à gauche ont été ajoutées en 1920.

Années	Étapes de construction	Architectes	Entrepreneurs
1909	construction[1,2]		
1920	agrandissement	P. L. W. Dupré[3]	Tardif & Tremblay[3]
1930	construction d'un élévateur	Roelofson[3]	Deller: entrepreneur[3]

1. Service d'évaluation de la Ville de Montréal
2. Dossier 25: *Inventaire des bâtiments du Vieux Montréal,* ministère des Affaires culturelles, Direction générale du patrimoine, 1977
3. Service des permis et inspections de la Ville de Montréal

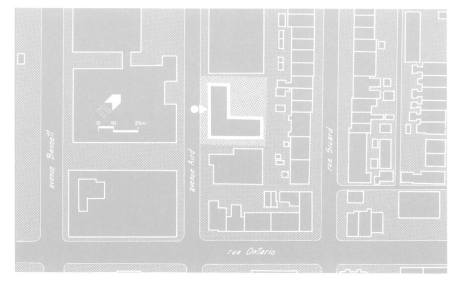

ÉLÉVATEURS À GRAINS Nº 3
actuellement: Phenix Flour Ltd.

photo 1982

3800, rue Notre-Dame est, Montréal

Propriétaire: Gouvernement du Canada — Conseil des Ports Nationaux
Superficie du terrain: non disponible
Superficie de plancher du bâtiment: non disponible
Superficie de plancher du bâtiment historique: non disponible

Parce que les élévateurs 1 et 2 ne suffisaient plus à la demande, les autorités du Port décidaient en 1924 de la construction d'une nouvelle structure, plus à l'est cette fois, pour éviter la congestion autour des installations existantes situées dans la partie ouest du port. Selon le *Contract Record*[1], les concepteurs des nouveaux élévateurs accordèrent une attention particulière à l'aspect fonctionnel des installations en prévoyant dès le début des espaces pour l'agrandissement éventuel des entrepôts et l'aménagement de quais d'expédition supplémentaires. Certaines précautions furent aussi prises pour minimiser les risques d'explosion: compartimentation des espaces d'entreposage et de manutention, ventilation, utilisation de matériaux non-combustibles, mise en place d'un système d'élimination des poussières.

Années	Étapes de construction	Architectes	Entrepreneurs
1924	construction[1]	John S. Metcalf Co. Ltd., ingénieurs[1]	Canadian Vickers, charpente d'acier[1]
1964	installation de deux moulins à farine et d'une tour de 210 pieds[2]		

1. *The Contract Record and Engineering Review,* Vol. XXXVIII, no. 2, 1924
2. Archives de la Ville de Montréal, dossier Minoterie Phenix

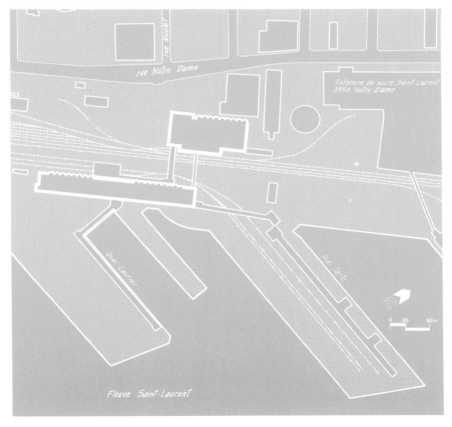

KNIT-TO-FIT CO.
actuellement: Grover Knitting Mills Limited

2025, rue Parthenais, Montréal

photo 1981

Propriétaire: Grover Knitting Mills Limited
Superficie du terrain: 7 551 m²
Superficie de plancher des bâtiments: 19 719 m²
Superficie de plancher du bâtiment historique: 6 563 m²

Cette usine de textile du secteur Hochelaga-Maisonneuve est typique de l'architecture fonctionnaliste: grande simplicité des lignes et rythmique bien exprimée. Très peu modifié, le bâtiment s'intègre bien à l'échelle du quartier.

Années	Étapes de construction	Architecte	Entrepreneurs
1920	construction de la manufacture, de la chaufferie et de la conciergerie[1,3]		Anglin-Norcross Co. Ltd.: entrepreneur général[1] Metal Shingle & Siding Co.: tôle[1] John Watson & Sons: fer ornemental[1]
	construction du garage[2,3]		Metal Shingle & Siding Co.: tôle[2] Anglin-Norcross Co. Ltd.: entrepreneur général[2]
1956	agrandissement d'un étage à l'arrière[4]	Arnold Schrier[4]	

1. *The Contract Record and Engineering Review*, Vol. XXXV, no. 26, June 30, 1920
2. *The Contract Record and Engineering Review*, Vol. XXXV, no. 29, July 21, 1920
3. *The Contract Record and Engineering Review*, Vol. XXXV, no. 39, September 29, 1920
4. Service des permis et inspections de la Ville de Montréal

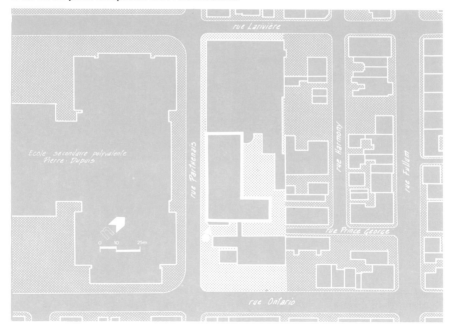

W. C. MACDONALD'S TOBACCO FACTORY

2455-57, rue Ontario est, Montréal

photo 1980

Propriétaire: R. J. R. MacDonald Inc.
Superficie du terrain: 22 791 m²
Superficie de plancher du bâtiment historique: 13 524 m²

Fondée en 1858, la MacDonald Bros. and Co. avait à l'origine son usine rue Water, dans le faubourg aux Récollets[3]. L'usine de la rue Ontario fut érigée en 1875. À la fin du siècle, la MacDonald employait 1 500 personnes dont la majorité étaient des femmes de 15 à 25 ans d'âge[4].

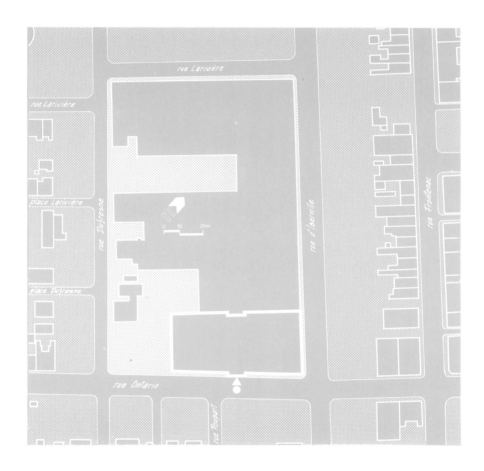

photo 1980

Le bâtiment est un ensemble très intéressant d'architecture néo-renaissance. La rythmique des façades est soulignée par des pilastres en léger relief qui s'élèvent à intervalles réguliers et expriment la structure. Les murs en brique rouge sont animés par des lignes blanches continues qui contournent la partie supérieure des fenêtres. L'imposante tour carrée surmontée d'une balustrade et percée de quatre horloges renferme les escaliers, comme le voulaient les codes de construction de l'époque.

On notera les entrées séparées pour les hommes et les femmes.

Années	Étapes de construction
1874-76	construction[1]
1922	agrandissement[2]

1. Archives de la Compagnie R. J. R. MacDonald Inc.
2. *The Contract Record and Engineering Review,* Vol. XXXVI, no. 47, 1922
3. *Illustrated Supplement to the Montreal Gazette,* December 25, 1865
4. *Le Monde Illustré,* le 4 mai 1895

JOHN H. R. MOLSON & BROTHERS' BREWERY

actuellement: Les Brasseries Molson du Canada Limitée

photo 1982

1650, rue Notre-Dame est, Montréal

Propriétaire: Les Industries Molson Limitée
Superficie du terrain: 38 568 m^2
Superficie de plancher des bâtiments: non disponible
Superficie de plancher des bâtiments historiques: non disponible

La brasserie Molson occupe toujours le site où elle s'est établie en 1786[2] et qu'on appelait à l'époque «le pied du courant Sainte-Marie». C'est l'une des plus vieilles entreprises industrielles du Canada. Son fondateur, John Molson, a occupé une place importante dans l'économie montréalaise du début du XIXe siècle. C'est notamment lui qui, en 1809, avait fait construire le premier bateau à vapeur à faire la navette entre Montréal et Québec, «L'Accomodation».

L'édifice retenu pour les fins du Répertoire est le 1650 Notre-Dame, dont la construction date de 1913. Le bâtiment est remarquable pour son imposante façade en pierre de taille, alors qu'il a été construit à une époque où l'architecture industrielle était dominée par la brique, plus économique, ce qui illustre bien l'image de prestige que projetait cette importante société.

dessin: début du siècle

Il est à noter que le mur de pierre taillée immédiatement à la droite de la porte cochère et l'arcade à quatre portées à la droite de l'entrée principale sont des éléments antérieurs à 1913 que l'architecte Hettinger a su intégrer à la nouvelle façade.

Années	Étapes de construction	Architectes
1907	construction d'un entrepôt, rue Papineau et d'une brasserie[1]	C. F. Hettinger, architecte-ingénieur de Boston[1]
1909-13	construction de l'édifice à bureaux et d'une salle d'embouteillage[1]	C. F. Hettinger, architecte-ingénieur
1912-13	construction d'une chambre de fermentation	McDougall & Friedman, ingénieurs[1]
1922	construction de chambres de fermentation et de deux entrepôts[1]	C. F. Hettinger, architecte-ingénieur

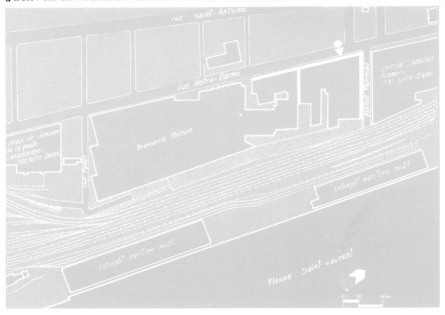

Années	Étapes de construction	Architectes	Entrepreneurs
1922	construction d'une chaufferie et de séchoirs à grains[1]	McDougall, Smith & Flemming, architectes[1] McDougall & Friedman, ingénieurs[1]	E. G. M. Cape & Co., entrepreneur général
	construction d'un garage, d'une brasserie et d'une salle des bouilloires[1]		
1929-30	construction de quatre salles de fermentation[1,3]	Flemming, Smith, architectes[1]	Church Ross Co. Ltd.: entrepreneur général[3] Morrison Quarries Co.: pierre de taille[3] Kendall Bros. Ltd.: excavation[3]

Années	Étapes de construction	Architectes	Entrepreneurs
			Hickey & Aubert: toiture et solins[3]
			E. Mapes: plâtrage et peinture[3]
	modifications au garage et à l'arrière[1,4]	C. F. Hettinger, architecte-ingénieur[1,4]	E. G. M. Cape & Co.: entrepreneur général[4] Dominion Bridge Co.: structure[4]
1933	construction d'une salle de réception des marchandises	Barrott, Marshall, Montgomery et Merrett[1]	
1943	construction d'une chambre de fermentation	C. F. Hettinger, architecte-ingénieur[1]	
1950-52	addition d'un étage à la section des bureaux et à la section médicale[1]		
1951-52	modification de la salle d'embouteillage en salle de fermentation[1]	McDougall, Smith & Flemming, architectes[1]	
		McDougall & Friedman, ingénieurs[1]	
1952	construction d'une salle de fermentation[1]	McDougall, Smith & Flemming, architectes[1]	
		McDougall & Friedman, ingénieurs[1]	
	agrandissement des séchoirs à grains et de la chambre des bouilloires[1]		

1. Archives Molson et Archives publiques du Canada
2. *Molson vous présente le Vieux Montréal,* Montréal, The Gazette Printing Co., 1936, (brochure sur le 150e anniversaire de la Brasserie Molson)
3. *The Contract Record and Engineering Review,* Vol. XLIII, no. 8, February 20, 1929
4. *The Contract Record and Engineering Review,* Vol. XLIII, no. 19, May 8, 1929

MONTREAL DAIRY CO. LTD.

actuellement: fabrique de meubles

photo 1980

1930, rue Papineau, Montréal

Propriétaire: Madame Donald Goyette
Superficie du terrain: 1 430 m²
Superficie de plancher du bâtiment: 1 503 m²
Superficie de plancher du bâtiment historique: 992 m²

De facture conventionnelle pour l'époque, l'édifice de la Montreal Dairy doit son originalité à son portique à colonnes.

Années	Étapes de construction	Architecte	Entrepreneurs
1911	construction[1,2]		
1929	agrandissement[3]	Sydney Comber, architecte[3]	Damien Boileau Ltée: entrepreneur général[3] J. Bibeau: plâtre[3]
1930	réfection de l'édifice[4]	Sydney Comber, architecte[3]	Duranceau et Duranceau[4]
1950	agrandissement à l'arrière[5]		R. C. Hamelin Ltée[5]

1. Inscription gravée sur le fronton de l'entrée principale
2. *Lovell's Montreal Directory*, 1911-12
3. *Contract Record and Engineering Review*, Vol. XLIII, no. 52, December 25, 1929
4. *Contract Record and Engineering Review*, Vol. XLIV, no. 7, February 12, 1930
5. Service des permis et inspections de la Ville de Montréal

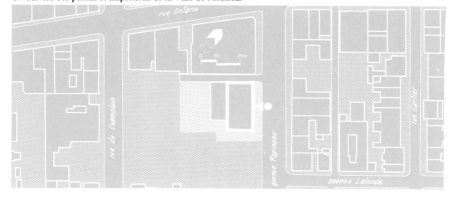

JAMES MUIR

actuellement: Aldan International Co. Ltd.

2251-2323, avenue Aird, Montréal

Propriétaire: Aldan International
Superficie du terrain: 6 780 m²
Superficie de plancher du bâtiment: 7 416 m²
Superficie de plancher du bâtiment historique: 6 669 m²

Deux ans après Dupont & Frères et Poliquin & Gagnon, la James Muir vient consolider, avec une architecture qui ressemble beaucoup à celle de la Dupont, la vocation de Maisonneuve comme centre de l'industrie de la chaussure.

Année	Étape de construction
1909	construction[1]

1. Dossier 25: *Inventaire des bâtiments du Vieux Montréal*, ministère des Affaires culturelles, Direction générale du patrimoine, 1977

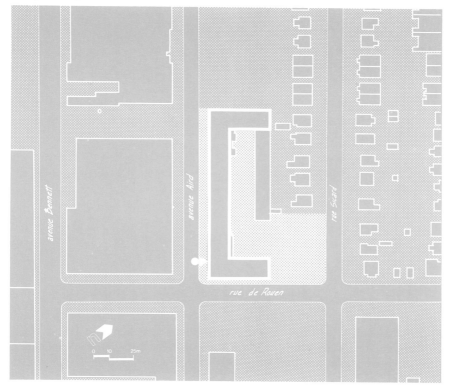

NATIONAL LICORICE COMPANY

4211-17, rue de Rouen, Montréal

photo 1980

Propriétaire: Y & S Candies Inc. (Hershey Chocolate)
Superficie du terrain: 2 863 m²
Superficie de plancher des bâtiments: 6 662 m²
Superficie de plancher du bâtiment historique: 3 407 m²

À l'instar de plusieurs autres entreprises, dont la Canadian Spool Cotton et la Biscuiterie Viau, la National Licorice eut droit à une exemption de taxes — de dix ans dans son cas — pour s'établir à Maisonneuve. On notera la simplicité du vocabulaire architectural utilisé par Reeves, qui a su bien exprimer la structure du bâtiment par le seul rythme des fenêtres et des pilastres.

Années	Étapes de construction	Architecte
1908	construction[1]	Charles A. Reeves[1]
1941	agrandissement[2]	
1957	construction d'un entrepôt de deux étages[3]	

1. *La Patrie,* 26 juin 1909, pp. 10-12
2. Service des permis et inspections de la Ville de Montréal
3. Service des permis et inspections de la Ville de Montréal

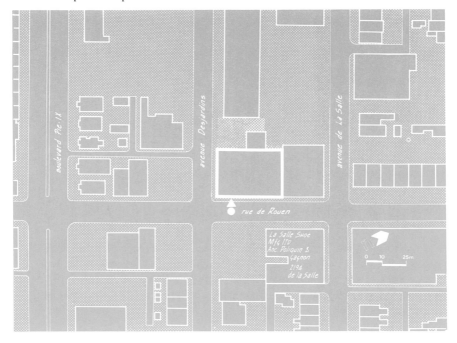

POLIQUIN ET GAGNON

2194, avenue de LaSalle, Montréal

photo 1981

Propriétaire: Morris Tencer
Superficie du terrain: 2 269 m^2
Superficie de plancher du bâtiment: 3 704 m^2

C'est en 1909 que Poliquin et Gagnon transportent dans leur nouveau local de l'avenue de LaSalle leur manufacture de la rue Côté[1]. Ils incorporeront leur entreprise sous le nom de «La Parisienne» en 1914. À cause de difficultés financières, l'entreprise devra abandonner les affaires en 1931. Le bâtiment sera repris par «Selby Shoe» un an plus tard, puis vendu à LaSalle Slipper en 1940[2].

Années	Étapes de construction	Architectes	Entrepreneur
1909	construction[1]		
1962	agrandissement d'un étage à l'arrière[3]	Mayerovitch & Bernstein[3]	Roger Construction[3]

1. *La Patrie,* 26 juin 1909
2. Ministère de la Justice, Bureau d'enregistrement du District de Montréal
3. Service des permis et inspections de la Ville de Montréal

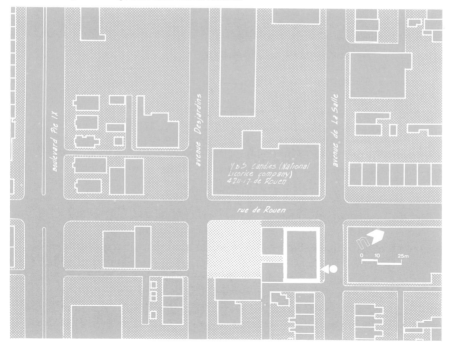

STE-ANNE SPINNING WOOL

actuellement: Dominion Textile Co.

2554-2618, rue Notre-Dame est, Montréal

photo 1982

Propriétaire: Dominion Textile Co.
Superficie du terrain: 5 981 m^2
Superficie de plancher des bâtiments: 12 718 m^2
Superficie de plancher des bâtiments historiques: 12 718 m^2

La première usine de la «Sainte-Anne Cotton Mill», identifiée par la lettre «A» sur le croquis d'implantation, fut construite en 1882[1]. Trois ans plus tard, la «Sainte-Anne» fusionna avec sa voisine, la «Victor Hudon Cotton Mill», déjà établie angle Dézéry et Notre-Dame depuis 1874[5]. La fusion des deux entreprises donna la «Hochelaga Cotton Co.» qui, en 1905, allait devenir la «Dominion Textile» telle que nous la connaissons aujourd'hui[1].
La première usine de la «Sainte-Anne» existe toujours, alors que celle de la «Victor Hudon» a été démolie en 1979. Le premier agrandissement de la «Sainte-Anne», identifié par la lettre «B» sur le croquis d'implantation, date de 1905. Il a été attribué à l'architecte Jérôme Spence pour sa très forte ressemblance à l'usine de la «Mount Royal Spinning Wool», rue Saint-Patrice, conçue par Spence en 1908 et intégrée au groupe de la Dominion Textile en 1919.

Années	Étapes de construction	Architectes	Entrepreneur
1882	construction du bâtiment A[1]		
1905	construction du bâtiment B[2]	(attribué à J. Spence)	
1912	construction du bâtiment C[3]	T. Pringle & Son, ingénieurs	
1949	réfections intérieures[4]		Pentagon Construction[4]

1. Archives de la Dominion Textile Co.
2. Atelier d'histoire Hochelaga-Maisonneuve *Évolution de l'architecture industrielle*, 1982, 40 pages
3. *Canadian Engineer*, Vol. XXII, May 30, 1912
4. Service des permis et inspections de la Ville de Montréal, permis n° 3425
5. Journal *L'Opinion Publique*, le 26 février 1874

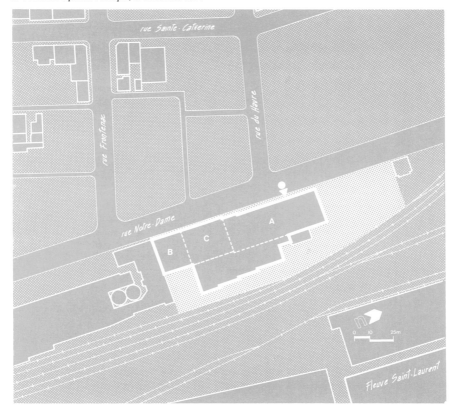

ST. LAWRENCE SUGAR REFINING COMPANY LIMITED
(Tonnellerie)

3967, rue Notre-Dame est, Montréal

photo 1980

Propriétaire: St. Lawrence Sugar Refineries Ltd.
Superficie du terrain: 8 213 m²
Superficie de plancher du bâtiment: 2 372 m²
Superficie de plancher du bâtiment historique: 2 372 m²

Le bâtiment retenu pour les fins du présent répertoire est la tonnellerie, située au nord de la rue Notre-Dame. Construite en 1887, la tonnellerie avait à l'origine un toit à pignon, comme en témoigne une gravure extraite du *Book of Montreal* de 1903[3]. Le reste du complexe, entre la rue Notre-Dame et le port, a subi d'importantes modifications.

Établie à Montréal depuis 1878, la St. Lawrence déménagea à Maisonneuve en 1887, bénéficiant de ce fait d'une exemption de taxes pour 20 ans. Elle devint rapidement l'un des principaux raffineurs du Canada: en 1906, ses installations portuaires du quai Sutherland lui permettent d'expédier quelque 1 600 barils de sucre par jour vers d'autres parties du pays et vers l'Europe[4].

Année	Étape de construction
1887	construction d'une raffinerie et d'une tonnellerie[1,2]

dessin 1903

1. *La Minerve,* 3 octobre 1887
2. Ministère de la Justice, Bureau d'enregistrement du district de Montréal, greffe Charles Cushing, 25 septembre 1887, enreg. n° 22041
3. Chambers, E. J., *The Book of Montreal,* 1903, p. 125
4. Linteau, Paul-André: *Histoire de la Ville de Maisonneuve, 1883-1918,* Thèse de doctorat, Université de Montréal, 1975

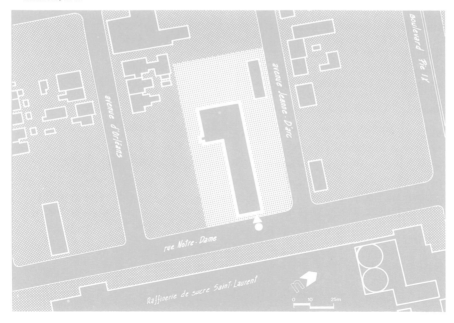

UNITED SHOE MACHINERY
actuellement: United Shoe Machinery Limited

photo 1981

2610, avenue Bennett, Montréal

Propriétaire: U.S.M. Limited
Superficie du terrain: 33 770 m²
Superficie de plancher des bâtiments: 21 255 m²
Superficie de plancher du bâtiment historique: 11 348 m²

L'architecte H. C. Stone a utilisé le vocabulaire architectural fonctionnaliste (murs uniformes, large fenestration, expression de la structure par les pilastres de brique). Le seul élément décoratif est le jeu de la brique sous la corniche.

Années	Étapes de construction	Architectes	Entrepreneurs
1911	construction[1]	Howard C. Stone[1]	
1917	addition d'un garage[2]	H. C. Stone[2]	
1919	construction d'un entrepôt[2]	C. J. Turcotte[2]	
1920	modifications à la façade[2]		D. G. Loomis, ingénieurs et entrepreneurs[2]
1940	ajout d'un édifice de 87' par 87' par 63'[3]		Richard & E. J. Ryan[3]
1941	agrandissement de la fabrique de clous[3]		Richard & E. J. Ryan[3]
1946	ajout d'un édifice de 150' par 70'[3]		The Foundation Company of Canada[3]

Années	Étapes de construction	Architecte	Entrepreneurs
1947	construction d'une chaufferie[2,3]	J. Kennedy[3]	Richard & B. A. Ryan[3]
	agrandissement à l'arrière, le long de Boyce[3]		The Foundation Company of Canada[3]
1956	agrandissement sur le côté[3]		Richard & B. A. Ryan[3]
1973	agrandissement à l'arrière[3]		Wilfrid Bédard Inc.[3]
1974	agrandissement, addition d'un passage et d'un entrepôt[3]		Richard D. Steel Construction Limitée[3]

1. Dossier 25: *Inventaire des bâtiments du Vieux Montréal,* ministère des Affaires culturelles, Direction générale du patrimoine, 1977
2. Service de l'entretien, United Shoe Machinery
3. Service des permis et inspections de la Ville de Montréal

BISCUITERIE VIAU
actuellement: Les Aliments Grissol (1975) Ltée

4951, rue Ontario est, Montréal

Propriétaire: Grissol Properties Ltd.
Superficie du terrain: 17 941 m²
Superficie de plancher du bâtiment: 25 798 m²
Superficie de plancher du bâtiment historique: 12 680 m²

La Biscuiterie Viau, fondée par L. Théodore Viau en 1867, occupait à l'origine une vaste ferme sur la rue Notre-Dame. En 1906, l'entreprise ayant dû céder ses terrains au Canadien Pacifique, la biscuiterie s'installe à Maisonneuve, profitant de ce fait d'une exemption de taxes municipales pour 20 ans. Avec près de 350 employés, la Viau occupait en 1913 entre 10 et 20% de l'industrie du pain, des biscuits et de la confiserie au Québec[3].

Années	Étapes de construction	Architecte	Entrepreneurs
1906-07	construction[1,2,3]		
1936	agrandissement[4]		
1947	agrandissement de trois étages[4]		J. H. Dupuis Limitée[4]
	construction d'un garage[4]		
1949	agrandissement pour entrepôt, en brique[4]		Alphonse Gratton Inc.[4]
1953	agrandissement à l'arrière, en béton armé, de trois étages[4]	P. Colangelo, architecte[4]	J. H. Dupuis Limitée[4]
1967	extension d'un étage[4]		Byers Construction[4]
1969	agrandissement d'un étage à l'arrière et modifications aux parties existantes[4]		Yves Hudon, entrepreneur[4]

1. *Canadian Architect & Builder*, Vol. XIX, no. 228, December 1906
2. Dossier 25: *Inventaire des bâtiments du Vieux Montréal*, ministère des Affaires culturelles, Direction générale du patrimoine, 1977
3. Linteau, Paul-André: *Histoire de la ville de Maisonneuve 1883-1918*, Thèse de doctorat, Université de Montréal, 1975
4. Service des permis et inspections de la Ville de Montréal

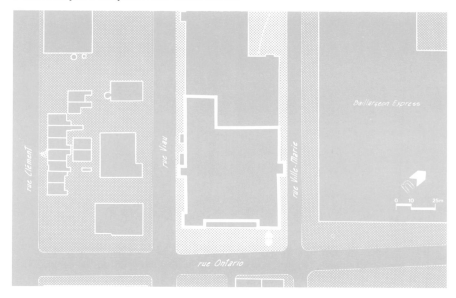

WARDEN KING AND SON

2104, avenue Bennett, Montréal

photo 1980

Propriétaire: Candiac Auto Leasing and Acceptance Inc.
Superficie du terrain: 31 323 m^2
Superficie de plancher du bâtiment: 490 m^2
Superficie de plancher du bâtiment historique: 490 m^2

Lors de son installation à Maisonneuve en 1903, la Warden King and Son avait déjà 50 ans d'existence. Elle se spécialisait dans la fabrication de fournaises et d'autres objets en fonte[1]. L'entreprise passera à la Crane Limited en 1926[2]. Le caractère massif de cette architecture est particulièrement approprié à ce type d'industrie.

246

Années	Étapes de construction	Architecte	Entrepreneur
1904-14	construction[3]		
1965	construction d'une nouvelle entrée en façade;		
	transformation d'une partie du rez-de-chaussée en garage privé, nouvelles divisions pour bureaux[4]	Michel Goulet[4]	Turco Plaw Holdings[4]

1. Linteau, Paul-André: *Histoire de la ville de Maisonneuve, 1883-1918,* Thèse de doctorat, Université de Montréal, 1975
2. *Le Devoir,* 21 novembre 1936
3. Dossier 25: *Inventaire des bâtiments du Vieux Montréal,* ministère des Affaires culturelles, Direction générale du patrimoine, 1977
4. Service des permis et inspections de la Ville de Montréal

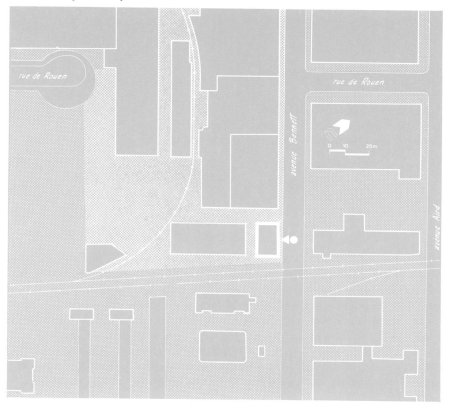

WATSON FOSTER CO. LTD.

4115, rue Ontario est, Montréal

photo 1982

Propriétaire: Édouard Roy Inc.
Superficie du terrain: 10 011 m²
Superficie de plancher des bâtiments: 13 964 m²
Superficie de plancher du bâtiment historique: 4 058 m²

Fondée en 1880, la fabrique de papier peint Watson Foster s'installe à
Maisonneuve en 1896. À l'instar de plusieurs autres entreprises, elle profite des
mesures incitatives décrétées par le Conseil municipal de l'époque pour
promouvoir le développement industriel et bénéficie d'un octroi de 9 000$ et
d'une exemption de taxes pour vingt ans. Au tournant du siècle, la Watson
Foster est la deuxième industrie en importance dans Maisonneuve, après la
raffinerie Saint-Laurent. Conçu par Alexander C. Hutchison, le bâtiment est
d'une grande sobriété. Les seuls éléments décoratifs sont le détail de brique au
niveau de la corniche et l'entrée principale, soulignée par une légère avancée,
un timide fronton d'inspiration classique et l'arc en plein cintre de la porte.

Années	Étapes de construction	Architectes	Entrepreneurs
1896-97	construction[1,2,3]	Alexander C. Hutchison[1,2,3]	
1926	construction d'un garage[4]	T. Pringle & Son, ingénieurs[4]	Cook & Leitch: entrepreneurs généraux[4]
1928	addition d'un étage à l'arrière[4,5]	T. Pringle & Son, ingénieurs[4]	H. C. Johnston Co. Ltd.[4,5]
1936	construction d'un moulin, quatre étages[4]	T. Pringle & Son, ingénieurs[4]	John MacGregor Ltd.[4]
1938	agrandissement, de deux étages[4]	T. Pringle & Son, ingénieurs[4]	Walter G. Hunt Co.[4]
1945	construction d'une chambre des bouilloires[4]	T. Pringle & Son, ingénieurs[4]	Hyde & Miller Ltd.[4]

1. Linteau, Paul-André, *Histoire de la ville de Maisonneuve, 1883-1918,* Thèse de doctorat, Université de Montréal, 1975
2. *Canadian Architect and Builder,* Vol. X, no. 2, February 1897
3. *La Patrie,* 26 juin 1909, «Maisonneuve, ville industrielle»
4. Service des permis et inspections de la Ville de Montréal
5. *The Contract Record and Engineering Review,* Vol. XLIII, no. 37, September 12, 1928

SECTEUR NORD

canadian marconi co.

kraft phoenix cheese co.
et montreal upholstering co.

j.c. mc laren belting

ronalds co. ltd

food s

bernard avenue

trenton

jean - talon

de lorée

bates

van horne

bloomfield

bernard

du parc

côte - sainte - catherine

côte - des - neiges

westmont

ts of canada ltd

st. lawrence warehousing co.

catelli ltée

coca - cola company of canada

ateliers municipaux de la rue des carrières

bellechasse

rosemont

des carrières

papineau

saint - joseph

compagnie d'électricité saint - jean - baptiste

montreal tramway co.

mont - royal

saint - denis

rachel

duluth

saint - laurent

vineberg building

sherbrooke

dorchester

saint - michel

pont jacques - cartier

ATELIERS MUNICIPAUX DE LA RUE DES CARRIÈRES

photo 1981

1610, rue des Carrières, Montréal

Propriétaire: La Ville de Montréal
Superficie du terrain: 74 410 m^2
Superficie de plancher du bâtiment: 10 265 m^2
Superficie de plancher du bâtiment historique: 4 893 m^2

254

Les ateliers municipaux forment un vaste complexe au nord de la voie ferrée du Canadien Pacifique, à l'ouest de l'avenue Papineau. Les hautes cheminées de l'incinérateur municipal voisin permettent de repérer facilement le site.

L'ensemble dénote une recherche architecturale un peu étonnante, compte tenu de la fonction et de l'époque: tours d'angles, toits de cuivre à pignons, à pavillon et même mansardes, lucarnes et tourelles de ventilation.

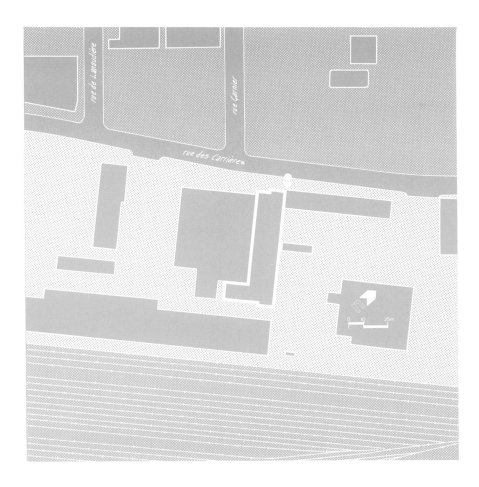

photo 1981

Années	Étapes de construction	Entrepreneurs
1926	construction d'un atelier d'un étage[1,2]	
1929	construction d'un édifice en béton de deux étages[3] (écurie)	J. A. A. Leclair & Dupuis Ltée: entrepreneur général[3] J. A. Forgue Ltée: acier d'armature[3] Morrison Quarry Co.: pierre de taille[3] M. Chouinard: toiture[3]

Années	Étapes de construction	Architectes	Entrepreneurs
1929	construction d'un incinérateur[4]	H. Terreault, ingénieur	Alphonse Gratton & Fils Ltée: entrepreneur général[4] Eastern Steel Products Ltd.: portes coulissantes électriques[4] J. M. E. Guay Inc.: acier d'armature[4] Morrison Quarry Co.: granit[4] Geo. W. Reed & Co. Ltd.: toiture[4] Gravel & Drouin Ltée: fer ornemental[4]
1941	construction d'un garage municipal en brique et terra-cotta[1]	D. Beaupré[1]	Archambault, Rochon & Cie[1]
1952	construction d'un garage[1]	Ville de Montréal[1]	Concrete Construction Ltd.[1]
1956	construction d'un garage d'un étage[1]		J. P. Cartier Ltée[1]
1971	réaménagement complet des garages[1]		Division des édifices municipaux[1]

1. Service des permis et inspections de la Ville de Montréal
2. Service d'évaluation de la Communauté urbaine de Montréal
3. *The Contract Record and Engineering Review*, Vol. XLIII, no. 33, August 14, 1929
4. *The Contract Record and Engineering Review*, Vol. XLIII, no. 51, December 18, 1929

BERNARD AVENUE GARAGE LTD.

actuellement: Le Clos Saint-Bernard (logements en copropriété)

1169, avenue Bernard, Outremont

Propriétaire: Humphrey Kassie
Superficie du terrain: 1 552 m^2
Superficie de plancher du bâtiment: 6 940 m^2
Superficie de plancher du bâtiment historique: 6 940 m^2

Au moment de sa construction, le garage de l'avenue Bernard était, avec sa capacité de 500 automobiles, le plus grand du genre au Canada. Son originalité tenait à ce que l'accès aux étages se faisait par des rampes plutôt que par des élévateurs. Son intérêt architectural réside dans sa façade Art déco.

Années	Étapes de construction	Architectes	Entrepreneurs
1924	construction[1,2]	Jean-Julien Perrault et J. R. Gadbois, architectes[1,2]	L. A. Ott & Co.: entrepreneur général[2] Canadian Benedict Stone Ltd.: pierre[2] Laurie Engine Co.: plomberie et chauffage[2] National Brick Co.: brique[2]
1980	transformation en logements en copropriété[1]	Victor Grusko, architecte[1]	

1. Service des permis de la Ville d'Outremont
2. *The Contract Record and Engineering Review*, Vol. XXXIX, no. 21, May 27, 1925

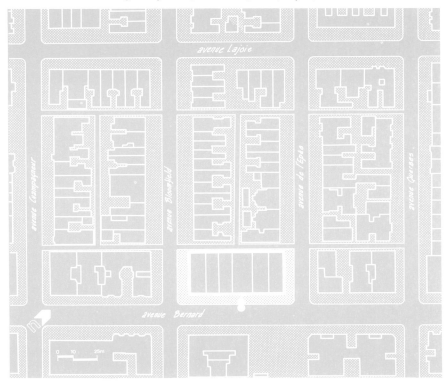

CANADIAN MARCONI CO.

photo 1981

2142, rue Trenton, Montréal

Propriétaire: Canadian Marconi Co.
Superficie du terrain: 31 942 m²
Superficie de plancher du bâtiment: 53 641 m²
Superficie de plancher du bâtiment historique: 20 370 m²

Les éléments architectoniques de cette façade marquent une période charnière entre le style Art déco et Art moderne. Les avancées et les travées accentuent la verticalité du bâtiment. L'édifice est en excellent état de conservation et n'a subi aucune modification majeure.

Années	Étapes de construction	Architectes	Entrepreneurs
1930	construction[1,2]	Ross & MacDonald	Foundation Co. of Canada[2]
1937	agrandissement[2]	J. C. Meadowcraft	D. W. Ross & Lacroix Ltd.
1953	agrandissement sur le côté[2]	Meadowcraft & Mackay	L. Gordon
1960	agrandissement à l'arrière[2]	Meadowcraft & Mackay	Douglas Bremner
1965	agrandissement sur le côté[2]	Michel Goulet	
1965	ajout d'un étage[2]	P. E. L'Espérance, ingénieur	Paul H. Lapointe

1. *The Contract Record and Engineering*, Vol. XLIV, no. 41, October 8, 1930
2. Service des permis et inspections de la Ville de Montréal

CATELLI LTÉE
actuellement: Shiff and Co. Inc.

305, rue de Bellechasse est, Montréal

photo 1980

Propriétaire: Shiff and Company Inc.
Superficie du terrain: 1 978 m²
Superficie de plancher du bâtiment: 4 612 m²
Superficie de plancher du bâtiment historique: 4 612 m²

L'édifice de la Catelli affiche cette simplicité qui caractérise l'industrie proprement manufacturière du début du siècle: architecture de brique d'une rigoureuse simplicité, avec pour seul décor l'appareil de brique du couronnement et le rythme discret des pilastres de la façade principale.

Années	Étapes de construction
1911	construction[1]
1948	réfection d'un mur de brique[2]
1968	rénovation de l'entrée principale[2]

1. Ministère de la Justice, Bureau d'enregistrement du district de Montréal
2. Service des permis et inspections de la Ville de Montréal

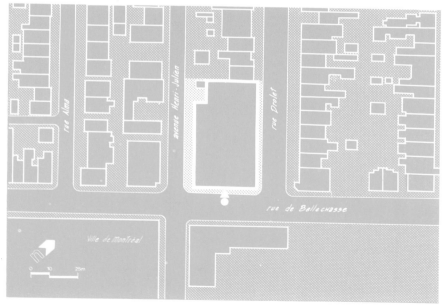

COCA-COLA COMPANY OF CANADA
actuellement: Ateliers municipaux de la Ville de Montréal

200-300, rue de Bellechasse, Montréal

Propriétaire: Ville de Montréal
Superficie du terrain: 10 924 m²
Superficie de plancher du bâtiment: 14 141 m²
Superficie de plancher du bâtiment historique: 14 141 m²

L'architecture de la Coca-Cola est typique de la fin des années 20 : effets de rythme créés par l'appareil de brique, couronnement des pilastres par des éléments de pierre, accent sur l'entrée principale, quasi-absence de décor.

Années	Étapes de construction	Architecte	Entrepreneurs
1929-30	construction[1,2,3,4]	Kenneth G. Rea, architecte[1,2,3,4]	John MacGregor Ltd.: entrepreneur général[2,3,4] Marien & Wilson Ltd.: excavation[2] Connolly Bros.: plâtre[3] Victoria Decorating & Painting Co.: peinture[3] Otis-Fensom Elevator Co. Ltd.: ascenseurs[3] Geo. W. Reed & Co. Ltd.: toiture[4]

1. *The Contract Record and Engineering Review,* Vol. XLIII, no. 36, September 4, 1929
   Vol. XLIII, no. 38, September 18, 1929
2. *The Contract Record and Engineering Review,* Vol. XLIII, no. 43, October 23, 1929
3. *The Contract Record and Engineering Review,* Vol. XLIII, no. 47, November 20, 1929
4. *Journal, Royal Architectural Institute of Canada,* Vol. VII, no. 9, September 1931

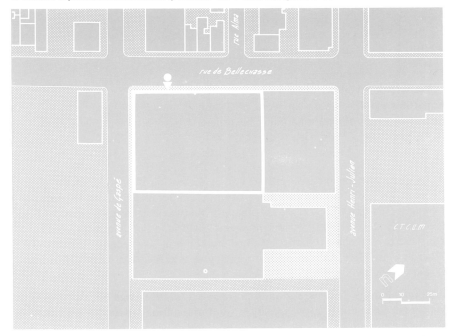

COMPAGNIE D'ÉLECTRICITÉ SAINT-JEAN-BAPTISTE
actuellement: entrepôt de meubles

4220, rue de Mentana, Montréal

photo 1981

Propriétaire: Benjamin Friedman
Superficie du terrain: 1 607 m^2
Superficie de plancher du bâtiment: 2 219 m^2
Superficie de plancher du bâtiment historique: 1 036 m^2

Alors que s'amorce le développement de ce secteur du Plateau Mont-Royal, à l'époque où l'éclairage à l'électricité commence à remplacer, dans les rues, l'éclairage au gaz (1889) et où les premiers tramways électriques circulent dans les rues de Montréal (1893), la Compagnie Électrique Saint-Jean-Baptiste s'installe rue Mentana. Quatre ans plus tard elle sera absorbée par l'Imperial Electric Light Co., qui elle-même sera intégrée à la Montreal Light, Heat and Power en 1903[3].

Plutôt dépouillée, la façade en pierre bosselée d'un seul étage emprunte au vocabulaire néo-classique sa symétrie, son fronton triangulaire et l'arc cintré de son entrée principale.

Années	Étapes de construction
1893	construction[1,2]
1940	réparation de l'entrée principale et élargissement de l'escalier intérieur[3]

1. Courcy, Legros L. et J. Verret, *La petite histoire du Plateau*, Montréal, 1979
2. *Lovell's Montreal Directory*, 1893-1894
3. Service des permis et inspections de la Ville de Montréal

FOOD SPECIALISTS OF CANADA LTD.
actuellement: Park Avenue Building

6201, avenue du Parc, Montréal

photo 1980

Propriétaire: Food Specialists of Canada Ltd.
Superficie du terrain: 2 639 m²
Superficie de plancher du bâtiment: 7 216 m²
Superficie de plancher du bâtiment historique: 3 128 m²

Ce bâtiment à angle tronqué épouse la forme du terrain et constitue un point de repère sur l'avenue du Parc.

Années	Étapes de construction	Architectes	Entrepreneurs
1921-22	construction[1]	McDougall & Pease[1]	Anglin-Norcross Co. Ltd.: entrepreneur général Canadian Comstock Co. Ltd.: installation de l'équipement mécanique électrique[1]
1949	agrandissement du côté de l'avenue du Parc[2]	Fetherstonaugh, Durmford, Bolton & Chadwick[2]	Anglin-Norcross Co. Ltd.: entrepreneur Dominion Structural Steel: structure[2]

1. *Contract Record and Engineering Review*, Vol. XXXV, no. 48, December 1, 1920
2. Service des permis et inspections de la Ville de Montréal

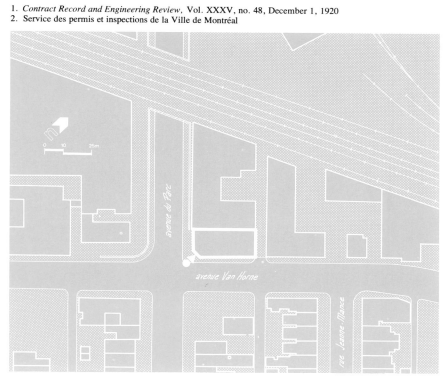

KRAFT PHOENIX CHEESE CO. LTD. et MONTREAL UPHOLSTERING CO.

actuellement: édifice multifonctionnel

20-40, Chemin Bates, Outremont

photo 1981

Propriétaire: Hirdo Holdings Inc.
Superficie du terrain: 4 196 m^2
Superficie de plancher du bâtiment: 3 511 m^2
Superficie de plancher du bâtiment historique: 3 511 m^2

Bon exemple d'architecture fonctionnaliste très dépouillée de la fin des années 20, l'édifice de la Kraft Phoenix Cheese est un bâtiment charnière entre l'architecture traditionnelle et l'architecture moderne. Architecturalement, les travées de la fenestration sont intéressantes car elles accentuent la verticalité d'un édifice relativement bas et en équilibrent le volume.

Années	Étapes de construction	Architectes	Entrepreneurs
1929	construction de la Montreal Upholstering Co., quatre étages avec structure en béton armé[1]		Dakin Construction Co.: entrepreneur général[1]
1935	construction de la Kraft Phoenix Cheese Co. Ltd.[2]	Perry & Luke[2]	Concrete Construction Ltd.[2]
1940	construction d'un nouvel entrepôt[2]		Corinthian Construction Ltd.[2]
1946	agrandissement et construction d'une passerelle entre les deux édifices[2]		Concrete Construction Ltd.[2]

1. *The Contract Record and Engineering Review,* Vol. XLIII, no. 32, August 7, 1929
2. Service des permis de la Ville d'Outremont

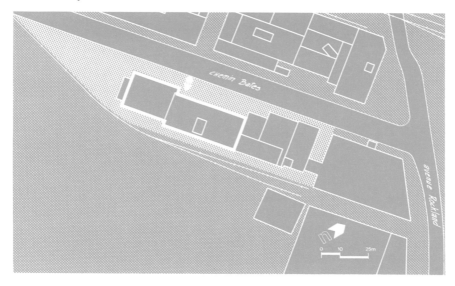

J. C. McLAREN BELTING CO.

6868, avenue de l'Épée, Montréal

photo 1980

Propriétaire: J. C. McLaren Belting Co. Ltd.
Superficie du terrain: 3 720 m^2
Superficie de plancher du bâtiment: 2 748 m^2
Superficie de plancher du bâtiment historique: 2 266 m^2

Très peu modifié et toujours utilisé à sa fonction d'origine, ce long bâtiment de brique, par l'extrême simplicité de son vocabulaire architectural, est un bon exemple d'architecture industrielle fonctionnaliste.

Selon «The Book of Montreal», publié en 1903, la J. C. McLaren était le pionnier de l'industrie des courroies d'entraînement en cuir au Canada. C'est cette entreprise qui fournissait entre autres les courroies des génératrices du réseau de tramways de Montréal. La McLaren avait des points de vente à Toronto, Winnipeg, Vancouver et même Glasgow, en Écosse.

Année	Étape de construction	Architecte
1911	construction[1,2,3]	W. B. MacLean ingénieur[1]

1. Archives de la Compagnie J. C. McLaren Belting
2. *Lovell's Montreal Directory,* 1914-15
3. *The Canadian Engineer,* Vol. XIII, no. 3, January 18, 1912

MONTREAL TRAMWAY CO.
actuellement: Édifice de la Division Mont-Royal — CTCUM

4505, rue Fullum, Montréal

photo 1976

Propriétaire: Commission de Transport de la Communauté urbaine de Montréal
Superficie du terrain: 17 764 m²
Superficie de plancher du bâtiment: 14 926 m²
Superficie de plancher du bâtiment historique: 1 976 m²

Construit à l'origine pour garer les tramways, l'édifice de la rue Fullum est maintenant utilisé par la Commission de Transport de la Communauté urbaine pour remiser les autobus. Retenu d'abord pour son évocation de l'époque du tramway à Montréal, le bâtiment n'en comporte pas moins des éléments architecturaux intéressants comme ses arcs en plein cintre et son fronton d'inspiration néo-romane.

Années	Étapes de construction	Architectes	Entrepreneurs
1924	construction[1]	Montréal Tramway Co.[1]	D. G. Loomis & Son
1936	construction d'un garage pour autobus[1]	Montréal Tramway Co.	Shearer Construction[1]

1. Service des permis et inspections de la Ville de Montréal

RONALDS CO. LTD.

6300-6306, avenue du Parc, Montréal

Propriétaire: The Ronalds Co. Ltd.
Superficie du terrain: 7 108 m²
Superficie de plancher du bâtiment: 5 623 m²

La Ronalds est typique de l'architecture industrielle de la fin des années 20 : utilisation de la brique, largeur des ouvertures, symétrie de la façade, structure bien exprimée et quelques éléments de décor (fausse loggia et marquise). Cet édifice peu transformé est en bon état de conservation et abrite toujours les imprimeries Ronalds.

Années	Étapes de construction	Architectes	Entrepreneurs
1927	construction[1,2]	W. H. Wardwell[1,2]	Church Ross Co. Ltd.[1,2]
1945	agrandissement sur le côté[1]	Ross & MacDonald[1]	Jos W. Ross[1]
1948	agrandissement de 60′ par 148′[1]	Ross, Paterson & Townsend[1]	Ross & Anglin[1]
1956	addition d'un étage[1]	Percy Booth, de T. Pringle & Son, ingénieurs[1]	Ross & Anglin, Truscon Steel of Canada[1]
1957	agrandissement sur le côté et addition de deux étages à l'arrière[1]	Percy Booth, de T. Pringle & Son, ingénieurs[1]	Ross & Anglin, Truscon Steel of Canada, acier[1]

1. Service des permis et inspections de la Ville de Montréal
2. *The Contract Record and Engineering Review*, Vol. XLI, no. 37, September 14, 1927

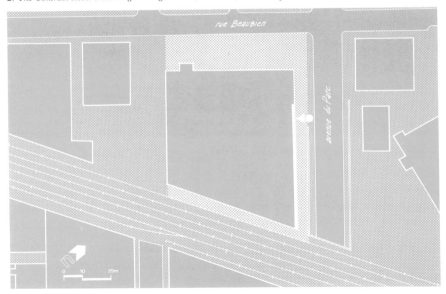

ST. LAWRENCE WAREHOUSING CO.
actuellement: Van Horne Warehouses Incorporated

35, avenue Van Horne ouest, Montréal

photo 1982

Propriétaire: Roland Duquette et Al
Superficie du terrain: 2 241 m²
Superficie de plancher du bâtiment: 14 851 m²
Superficie de plancher du bâtiment historique: 14 851 m²

La forme irrégulière de ce bâtiment-repère est imputable à l'exiguité de son site, coincé entre la voie ferrée et la descente du viaduc Van Horne. Le type de fenestration traduit bien la fonction d'entreposage du bâtiment.

Années	Étapes de construction	Entrepreneurs
1924	construction[1]	Duquette et Patenaude[1]
1925	agrandissement[1]	Duquette et Patenaude[1]

1. Service des permis et inspections de la Ville de Montréal

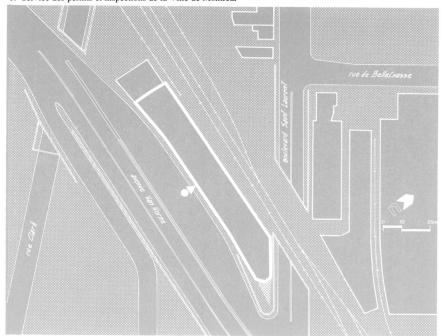

VINEBERG BUILDING
actuellement: Berman Building

4060, boul. St-Laurent, Montréal

photo 1982

Propriétaire: Joseph Berman
Superficie du terrain: 1 682 m²
Superficie de plancher du bâtiment: 118 426 m²
Superficie de plancher du bâtiment historique: 118 426 m²

Manifestement influencé par l'école de Chicago, l'édifice Vineberg n'est pas sans rappeler le Unity Building, surtout par la verticalité que lui confèrent ses pilastres et par l'accent mis sur la corniche.

Influent homme d'affaires, Solomon Vineberg était propriétaire, entre autres, de la Scottish Rubber Company et du Globe Theatre[4].

Années	Étapes de construction	Architectes	Entrepreneur
1912	construction[1,2]	Dufort et Décary[2]	
1942	installation de soufflets mécaniques[2]		I. Fineman[3]

1. Ministère de la Justice, Bureau d'enregistrement du District de Montréal
2. *The Montreal Daily Star*, March 2, 1912
3. Service des permis et inspections de la Ville de Montréal
4. Montreal Board of Trade, *Past and Present*, 1914-15

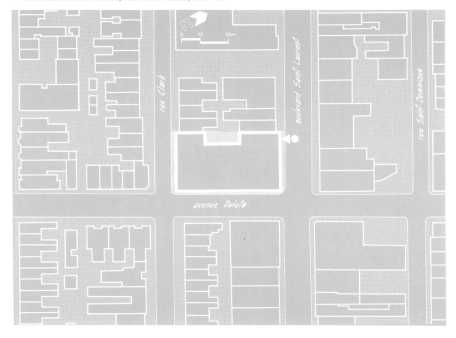

PÉRIPHÉRIE

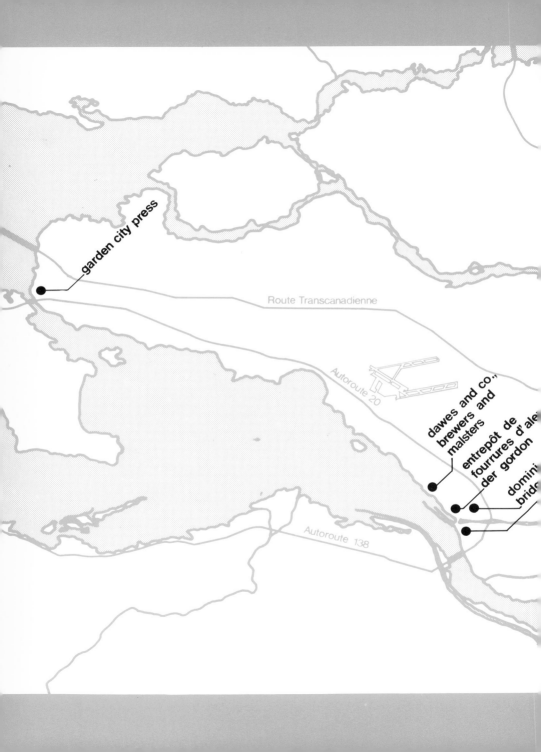

garden city press

Route Transcanadienne

Autoroute 20

dawes and co.,
brewers and
malsters

entrepôt de
fourrures d'ale
der gordon

domini
brid

Autoroute 138

moulins du
sault-au-
récollet

compagnie aérienne
franco-canadienne

burroughs, wellcome co.

elmhurst dairy ltd

Boulevard des Laurentides

Autoroute 25

Autoroute 20

Autoroute 116

Autoroute 10

N

BURROUGHS, WELLCOME & COMPANY

60, avenue Riverview, LaSalle

photo 1980

Propriétaire: Burroughs, Wellcome du Canada Limitée
Superficie du terrain: 52 470 m²
Superficie de plancher du bâtiment: 4 118 m²
Superficie de plancher du bâtiment historique: 2 910 m²

La compagnie Burroughs, Wellcome fut fondée en Angleterre par deux pharmaciens américains, Silas Burroughs et Henry Wellcome. Dès 1895, ils ouvraient leur premier centre de recherche en pharmacologie. Ils choisirent la licorne comme symbole de la pureté et du progrès médical. Lors du décès de Silas Burroughs, en 1896, Henry Wellcome demeura l'unique partenaire de la compagnie. Il créa, en 1924, la fondation Wellcome. Au moment de sa mort en 1936, la fiducie Wellcome Trust prit la relève et selon ses instructions tous les profits et tous les dividendes de la compagnie furent appliqués à la recherche médicale et pharmacologique.[1]

La compagnie ouvrit sa première succursale à Montréal en 1906. En 1930, elle acquit 40 acres de terrain à Ville LaSalle et y fit construire son premier centre de production: jusqu'alors, la succursale de Montréal s'était uniquement occupée de distribuer des produits manufacturés en Angleterre.[1,2]

D'inspiration Beaux-Arts, l'édifice fut l'un des prototypes de l'architecture de béton en Amérique: «Always innovative, it was typical that Henry Wellcome's Building should be one of the first ''poured'' concrete structure to be erected on the American continent».[2]

Années	Étapes de construction	Architectes	Entrepreneurs
1930	construction de la manufacture, de l'entrepôt et de la prise d'eau sur le fleuve[1,3,4]	Lawson & Little[3,4]	Turner Construction Co. de New-York: entrepreneur général[3,4]
1967	construction des locaux administratifs[1,3]	T. Pringle & Son, ingénieurs[3]	Pollock McGibbon du Canada Ltée: entrepreneur général[3,4]
1967	agrandissement, à l'arrière[1,3]	T. Pringle & Son, ingénieurs[3]	Pollock McGibbon du Canada Ltée: entrepreneur général[3]

1. Burroughs, Wellcome Inc.
2. *Foundation News,* October-November 1981
3. Service des permis et inspections de la Ville de LaSalle
4. *The Contract Record and Engineering Review,* Vol. XLIII, no. 34, August 21, 1929

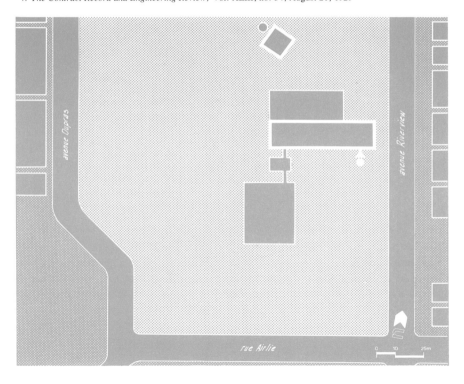

COMPAGNIE AÉRIENNE FRANCO-CANADIENNE

13 812-13 838, rue Notre-Dame est, Montréal photo 1981

Propriétaire: Creaghan & Archibald Ltd.
Superficie du terrain: 20 198 m²
Superficie de plancher du bâtiment: 1 979 m²
Superficie de plancher du bâtiment historique: 1 979 m²

Ce hangar construit en 1929-30 est très important dans l'histoire de l'architecture de la région montréalaise. Conçu par l'architecte Ernest Cormier, il est le prototype en Amérique du Nord du hangar de béton armé, couvert par une voûte parabolique à structure apparente[1]. Ce hangar est le seul exemple de construction industrielle ayant été conçu par Cormier. Il exprime l'influence qu'aurait subie ce dernier lors d'un stage de perfectionnement (1916-18) chez Considère, Pelnart et Caquot (France), qui travaillaient, ainsi que la firme Hennebique, à la conception et l'utilisation de structures en béton armé[2].

Années	Étape de construction	Architecte	Entrepreneur
1929-30	construction[1]	Ernest Cormier[1]	Damien Boileau[1]

1. *The Contract Record and Engineering Review,* Vol. XLIV, no. 3, January 29, 1930
2. Centre de documentation en architecture, Université McGill, Montréal

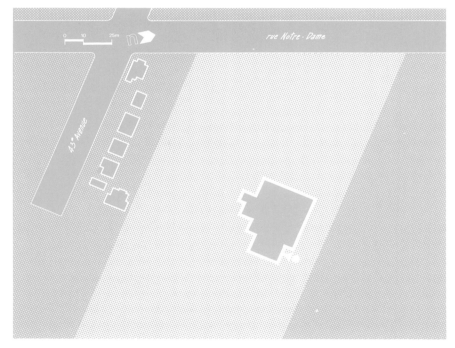

DAWES & CO., BREWERS & MALTSTERS

Lachine

dessin vers 1870

La brasserie Dawes est l'une des plus anciennes du Canada. Elle a été fondée en 1811.

L'ensemble mis sur pied par Thomas Dawes sera important quant à l'orientation économique de la Ville de Lachine. Dans un premier temps, les demandes de la brasserie en houblon et en orge influenceront le type de culture pratiquée sur les terres avoisinantes. Par la suite, la Dawes achètera une partie de ces terres, de telle sorte qu'en 1886 elle sera propriétaire de 370 acres de terre dont 220 en culture et 150 en pâturage.

La compagnie possédait des succursales à Halifax et Ottawa. Son siège social était à Montréal, rue Saint-Jacques.

La Dawes cessa ses activités à Lachine en 1922 (bien que ses installations ne furent vendues qu'en 1927) pour occuper dans le secteur sud-ouest de Montréal, les installations de l'Imperial Brewery construites en 1909 (rue Saint-Maurice). Lors de ce déménagement, la compagnie prit le nom de Dawes Montreal Brewery. Elle fut ultérieurement assimilée au conglomérat de la National Breweries.

Archives de la Ville de Lachine
Girouard, Désiré: *Lake St. Louis*, 1873
Hopkins, J. C.: *Atlas de Lachine*, 1879
Programme du 250e anniversaire de l'église de Lachine, 1926
Moussette, Normand: *En ces lieux que l'on nomma Lachine*, Cité de Lachine, 1978
Archives de la brasserie O'Keefe
À pied dans le Vieux Lachine, carte explicative de la Cité de Lachine, 1976

Du vaste complexe de la Dawes à Lachine il ne reste plus que quatre bâtiments qui appartiennent à autant de propriétaires différents:

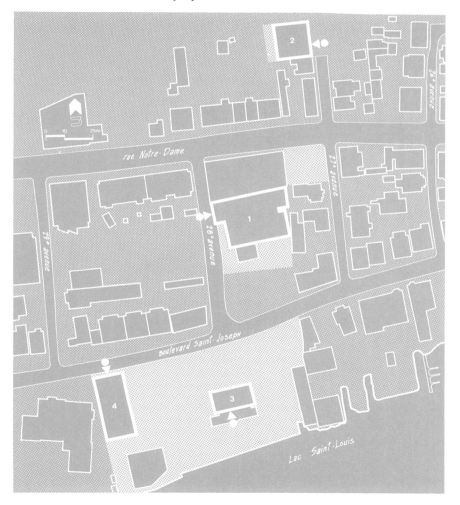

1. LAGER BEER ICE VAULTS (vers 1878)   photo 1878
actuellement: Les vins T. G. Bright
adresse: 150, 28ᵉ avenue
propriétaire: Bright T. G. (Québec) Ltd.

superficie du terrain: 3 029 m²
superficie de plancher du bâtiment: 3 541 m²
superficie de plancher du bâtiment historique: 2 475 m²

photo 1974

2. OLD WAREHOUSE (entre 1820 et 1850)

photo 1974

actuellement: entrepôt vacant
adresse: 233, 27ᵉ avenue
propriétaire: David Zilbert Zylberszac

superficie du terrain: 380 m²
superficie de plancher du bâtiment: 995 m²
superficie de plancher du bâtiment historique: 995 m²

293

3. VIEILLE BRASSERIE (vers 1861)   photo 1981

actuellement: Centre civique de Lachine
adresse: 2801, boulevard Saint-Joseph
propriétaire: Ville de Lachine

superficie du terrain: 4 621 m^2
superficie de plancher du bâtiment: 1 202 m^2
superficie de plancher du bâtiment historique: 682 m^2

4. BÂTIMENT SANS DÉNOMINATION (vers 1880-90)   photo 1974

actuellement: Western Refrigeration
2875, boulevard Saint-Joseph
propriétaire: Western Refrigeration

superficie du terrain: 2 124 m²
superficie de plancher du bâtiment: 1 815 m²
superficie de plancher du bâtiment historique: 1 500 m²

DOMINION BRIDGE COMPANY

555, rue Notre-Dame, Lachine

photo 1981

Propriétaire: Dominion Bridge Company
Superficie du terrain: 213 747 m^2
Superficie de plancher des bâtiments: 171 068 m^2
Superficie de plancher des bâtiments historiques: 168 753 m^2

L'édifice illustré est vraisemblablement l'atelier d'usinage construit en 1897[2]. Il s'inscrit dans un vaste complexe industriel dont la majorité des bâtiments ont été construits entre 1925 et 1935. Cet atelier est un bon exemple d'architecture industrielle fonctionnaliste du tournant du siècle pour la rythmique de sa fenestration et l'expression de sa structure par le léger relief de la brique à intervalles réguliers.

L'entreprise fut fondée en 1879 à Toronto sous la raison sociale de Toronto Bridge Company. Les terrains de Lachine furent achetés en 1883[1], pour une filiale qui allait être constituée en corporation sous le nom de Dominion Bridge Company Limited[3]. La compagnie avait été fondée pour répondre aux besoins croissants d'acier pour la construction de ponts, mais acquit surtout sa notoriété pour les importantes structures d'édifices qu'elle a élevées un peu partout au pays.

L'installation de la Dominion Bridge à Lachine amena l'implantation dans cette ville d'établissements connexes comme la Dominion Engineering Co., la Northern Electric Company, la Canadian Wire and Rope Co. Au moment de son implantation à Lachine, la Dominion Engineering employait plus de 300 personnes.

Il est intéressant de noter que l'architecte-ingénieur Ernest Cormier a travaillé au Département de la mécanique de la Dominion Bridge durant quelques années avant de parfaire sa formation d'architecte à l'École des Beaux-Arts de Paris.

DOMINION BRIDGE COMPANY

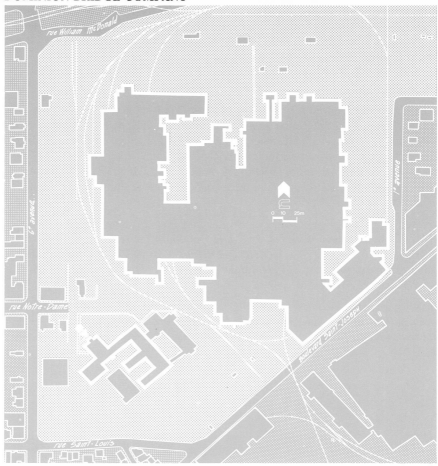

Années	Étapes de construction	Architectes
1883	achat du terrain à Lachine[1]	
1885	construction d'un premier atelier de 118′ × 512′ [2]	
1897	début des agrandissements[2]	
1912	le complexe comprend[2]: — une usine de poutres de 118′ × 512′ — une usine de poutres de 895′ × 121′ — un hangar d'expédition de 502′ × 78′ — une forge de 280′ × 90′ — un atelier d'usinage de 340′ × 78′ — un atelier d'assemblage de 400′ × 84′ — un atelier et un dépôt de gabarits de 60′ × 60′ et 90′ × 60′ respectivement	
1929	agrandissement majeur[4]	Ingénieurs de la Dominion Bridge

1. *The Dominion Bridge Co.*, Album-souvenir, non daté
2. *The Canadian Engineer*, Vol. XXII, no. 4, January 24, 1912
3. *Industries of Canada*, City of Montreal, Historical and Descriptive Review, Montréal, The Historical Publishing Co., 1886
4. *The Contract Record and Engineering Review*, Vol. XVIII, no. 31

ELMHURST DAIRY LTD.
actuellement: Laiterie Sealtest

7460, rue Saint-Jacques ouest, Montréal   photo 1976

Propriétaire: Laiterie Sealtest
Superficie du terrain: 19 490 m^2
Superficie de plancher du bâtiment: 11 296 m^2
Superficie de plancher du bâtiment historique: 3 426 m^2

Cet édifice tire son intérêt architectural de la similitude de conception avec la boulangerie POM de Westmount, conçue par le même architecte peu de temps après. Dans les deux cas, Sidney Comber s'est inspiré du *Mission Style* d'origine californienne. Ce style avait été utilisé quelques années plus tôt pour la Crèche Youville par Alphonse Piché (1912).

Années	Étapes de construction	Architecte	Entrepreneurs
1927-28	construction d'une laiterie[1,4,5]	Sydney Comber[1,5]	A. F. Byers & Co.: entrepreneur général[1,4,5] Dominion Reinforcing Steel Co.: structure[1,5] G. R. Locker Co.: marbre et tuile[1] McFarlane & Douglas Co.: toiture[1] Canadian Vickers Ltd.: charpente en acier[2] Morrison Quarry Co.: pierre de taille[2]

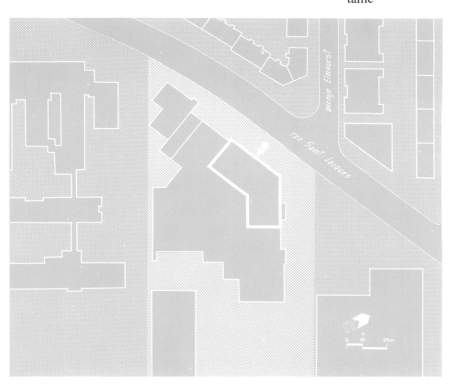

ELMHURST DAIRY LTD.

photo 1982

Années	Étapes de construction	Architectes	Entrepreneurs
			Canadian Welding Works Ltd.: fer ornemental[2] P. McCuaig: électricité[3] Laurie Engine Co.: plomberie, chauffage et ventilation[3]
1950	agrandissement sur le côté pour une chambre froide[5]	S. Comber & Son[5]	Purdy & Henderson Co.[5]
1955	agrandissement à l'arrière[5]	S. & C. S. Comber[5]	Argo Construction Ltd.[5]
1956	agrandissement d'un étage pour entrepôt[5]		Geocom Ltd.[5]
1960	agrandissement du garage vers l'avant et sur le côté[5]	Comber, Comber & Mack[5]	Argo Construction Ltd.[5]
1969	construction d'un entrepôt frigorifique[5]	C. S. Comber[5]	
1973	agrandissement sur le côté pour réservoirs à lait[5]		Parson & Misiurack[5]
	construction d'une nouvelle salle d'expédition à l'arrière[5]	C. S. Comber[5]	

1. *The Contract Record and Engineering Review*, Vol. XLI, no. 27, July 6, 1927
   The Contract Record and Engineering Review, Vol. XLII, no. 2, January 11, 1928
2. *The Contract Record and Engineering Review*, Vol. XLII, no. 7, February 15, 1928
3. *The Contract Record and Engineering Review*, Vol. XLII, no. 4, January 25, 1928
4. *The Contract Record and Engineering Review*, Vol. XLI, no. 49, December 7, 1927
5. Service des permis et inspections de la Ville de Montréal

GARDEN CITY PRESS

1, rue Pacifique, Sainte-Anne-de-Bellevue photo 1980

Propriétaire: Imprimerie Coopérative Harpell
Superficie du terrain: 19 650 m²
Superficie de plancher des bâtiments: 15 579 m²
Superficie de plancher du bâtiment historique: 6 686 m²

Selon les renseignements fournis par l'Imprimerie Coopérative Harpell, l'édifice a été construit en 1918 pour la Industrial and Educational Publishing Co. Cette entreprise occupe une place importante dans l'histoire économique de Sainte-Anne-de-Bellevue: elle emploie aujourd'hui 225 personnes[1]. Formée en coopérative en 1945, la Harpell est aussi intéressante pour son rôle de pionnier du mouvement coopératif au Québec.

Architecturalement l'édifice est intéressant pour son portique à colonnes jumelées et pour le rythme de la fenestration. Au plan de l'urbanisme, le Garden City a été développé selon le modèle anglais de la cité-jardin, avec un plan d'ensemble intégrant dans un même complexe industrie et habitations.

Années	Étapes de construction	Architecte	Entrepreneurs
1918	construction[2]		
1926	agrandissement[2]		
1932	agrandissement[2]		
1937	agrandissement[2]		
1940	agrandissement[2]		Boileau et Pilon, entrepreneurs[2]
1945	agrandissement[2]		Charles Duranceau Ltée[2]
1976	agrandissement[1]	Guy Dubreuil[1]	O. Charette et Fils, entrepreneur général[1]

1. Ville de Sainte-Anne-de-Bellevue
2. Imprimerie Coopérative Harpell

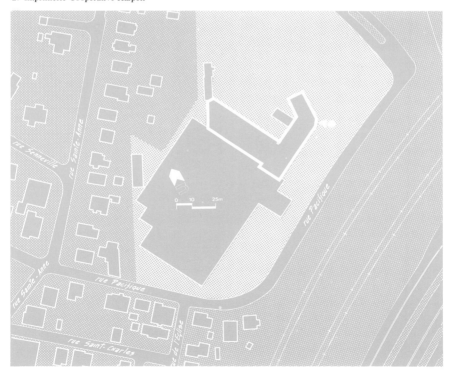

ENTREPÔT DE FOURRURES D'ALEXANDER GORDON

actuellement: en restauration

photo 1981

1251-1257, boulevard Saint-Joseph, Lachine

Propriétaire: Parcs Canada
Superficie du terrain: 743 m²
Superficie de plancher du bâtiment: 298 m²
Superficie de plancher du bâtiment historique: 298 m²

Entrepôt en pierre à moëllons, le bâtiment s'apparente par ses dimensions et ses lignes aux constructions domestiques traditionnelles. Il a occupé un emplacement stratégique sur les bords du lac Saint-Louis, puis du Canal de Lachine quant au commerce des fourrures dans un premier temps et au commerce général dans un deuxième temps. L'entrepôt fut successivement la propriété de la Hudson Bay Co. et de la Congrégation des Soeurs de Sainte-Anne[2].

Années	Étapes de construction	Architectes	Entrepreneurs
1803	construction d'un entrepôt en pierre[1,2,5]		Jean-Baptiste Boutonne et Joseph Chevalier: maçonnerie[1,2]
1980	incendie[2]		
1981	restauration extérieure de l'édifice[3,4]	Desmarais, Tornay, Pilon et Associés[3,4]	Construction Médaillon Inc.: entrepreneur général[4]
1982	restauration intérieure de l'édifice[4]	Desmarais, Tornay, Pilon & Associés[4]	

1. Greffe Louis Chaboillez, marché de construction entre Jean-Baptiste Boutonne et Joseph Chevalier et Alexander Gordon
2. Archives de la Ville de Lachine
3. Parcs Canada
4. Desmarais, Tornay, Pilon & Associés
5. Greffe J. H. Gray, Inventaire de la succession d'Alexander Gordon, le 5 mai 1806

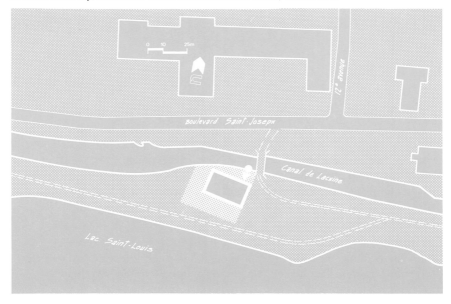

MOULINS DU SAULT-AU-RÉCOLLET
actuellement: incorporés au Parc régional de l'Île-de-la-Visitation

arrière du 10 897, rue du Pont, Montréal

photo 1977

Propriétaire: Communauté urbaine de Montréal

Des cinq moulins[4] qui ont été construits sur la digue au cours des XVIIe et XVIIIe siècles, le seul qui reste — bien que transformé successivement en maison du meunier et en bureaux pour la Back River Power Mill — est le moulin à farine reconstruit en 1801 et qui avait dû cesser ses opérations en 1810, faute d'eau.

Le projet d'aménagement du Parc régional de l'Île-de-la-Visitation de la Communauté urbaine de Montréal permettra la mise en valeur de la digue et des vestiges les plus intéressants des anciens moulins (fondations, murs de pierre, pièces mécaniques).

Années	Étapes de construction	Entrepreneur
1726	pour le compte des Sulpiciens, construction d'une digue de 300 pieds de longueur et d'un moulin à scie entre le village et l'Île-de-la-Visitation[1,3]	Simon Sicard: constructeur et ingénieur de moulins[1]
1728	construction de deux moulins à trois moulages pour le blé d'Inde et la farine[1]	
1801	démolition et reconstruction du moulin à farine[1]	
1810	fin des activités du moulin à farine, faute d'eau[1]	
1814	démolition et reconstruction de la digue[1]	

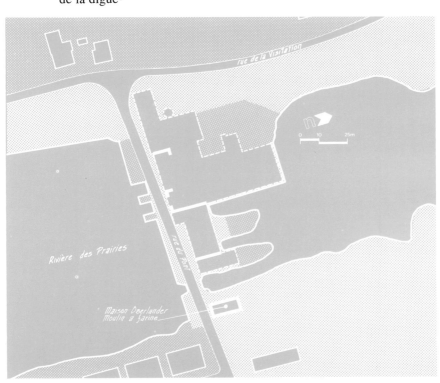

Années	Étapes de construction	Entrepreneur
1826	l'établissement comprend un moulin à clous, des cardes cylindriques, un foulon et une presse[1,3]	
1846	incendie de l'ensemble en novembre, seul le moulin à farine demeure[1,3]	
Vers 1870	construction d'un moulin à papier de trois étages, en pierre et en bois, sur l'emplacement du moulin à scie[1,3]	
1900	réparation du moulin à farine et du moulin à papier[1,2]	François Turcot: entrepreneur
1903	le propriétaire de la manufacture de papier fait creuser le lit de la rivière pour l'installation de deux turbines	
1914	le 12 octobre, incendie du Back River Power Mill: l'entrepôt et les constructions attenantes demeurent[1,3]	

1. Abbé René Desroches: *Le Sault-au-Récollet 1736-1936*, Montréal Imp. Le Devoir, 1936
2. *L'Avenir du Nord*, 4 juillet 1901
3. *Le Québécois*, 11 février 1977, page 10 — Les moulins du Sault-au-Récollet, Paul Carle
4. Mémoire de la Société de Conservation du Sault-au-Récollet, «Demain le Sault?», 19 février 1981

MOULINS DU SAULT-AU-RÉCOLLET

photo 1977

ORDRE CHRONOLOGIQUE

1862	François Boxer	Robert Mitchell Co. 350-360, rue Saint-Antoine ouest, Montréal	**22**
1864	Alexander C. Hutchison	Ives and Allen Company 261, rue Queen, Montréal	**132**
1871		Crathern and Caverhill actuellement: Caverhill, Learmont & Co. Limited 1061-1065, rue de la Commune ouest, Montréal	**104**
1873	Michel Laurent	Usine Jas. McCready 361, rue d'Youville, 108-110, rue Saint-Pierre, Montréal	**20**
1873		Canadian Rubber Co. of Montreal 1840, rue Notre-Dame est, Montréal	**208**
1874		W. C. MacDonald's Tobacco Factory 2455-57, rue Ontario est, Montréal	**222**
1879		C. W. Williams Manufacturing Company Ltd. 705, rue Bourget, Montréal	**192**
1880		Merchants Manufacturing Co. actuellement: Coleco (Canada) Limitée 4000, rue Saint-Ambroise, Montréal	**146**
1880	J. W. et E. C. Hopkins	Édifice Wilson 380, rue Saint-Antoine ouest, Montréal	**30**
1882		Ste-Anne Spinning Wool actuellement: Dominion Textile Co. 2554-2618, rue Notre-Dame est, Montréal	**238**
1884		Belding, Paul and Company actuellement: Belding Corticelli Limited 1790, rue du Canal, Montréal	**80**
Vers 1885		Rogers and King actuellement: Mercury Realties Inc. 261-265, rue Saint-Antoine ouest, Montréal	**26**
1886		Glenora Mill (A. W. Ogilvie & Co.) actuellement: entrepôts 45, rue des Seigneurs, Montréal	**126**

1898		Canadian Switch and Spring Company actuellement: Northern Telecom 1401-1545, rue Saint Patrick, Montréal	**96**
1899	Ingénieurs de la Montreal Street Railway Co.	Ateliers Hochelaga actuellement: entrepôt 1425, rue du Havre, Montréal	**206**
Vers 1900		Andrew Frederick Gault Co. actuellement: Wolsey 351, rue Duke, Montréal	**124**
1900	MacDuff et Lemieux	Tooke Brothers Limited actuellement: Grover's 640-44, rue de Courcelle, Montréal	**190**
1901		George Hodge and Sons actuellement: vacant 205, avenue Viger ouest, Montréal	**58**
1901		Élévateur à grains nº 1 Port de Montréal	**118**
1901	Finley & Spence	Gault Brothers Company actuellement: édifice multifonctionnel 350, rue de l'Inspecteur, Montréal	**122**
1902		Royal Electric Co. actuellement: Hydro-Québec Poste de transformation Wellington 733, rue Wellington, Montréal	**176**
1903	McVicar et Heriot	Sherwin-Williams Company Limited actuellement: Sherwin-Williams du Canada 2855-75, rue Centre, Montréal	**178**
1903		Angus Shops 3195, rue Rachel est, Montréal	**202**
1904		Warden King and Son 2104, avenue Bennett, Montréal	**246**
1905	D. Jerome Spence	Canada Malting Co. Ltd. actuellement: Canada Maltage Limitée 5052, rue Saint-Ambroise, Montréal	**92**
Vers 1905		Walter M. Lowney Co. of Canada actuellement: édifice multifonctionnel 1015, rue William, Montréal	**142**

1906	W. J. Carmichael	Northern Electric and Manufacturing Co. 350-370, rue Guy, Montréal	**160**
Vers 1906	J. Z. Resther	Édifice L.-O. Grothé 2000, boul. Saint-Laurent, Montréal	**54**
1906		Élévateur à grains n° 5 Port de Montréal	**120**
1906	D. R. Brown et Hugh Vallance	Jenkins Brothers Limited actuellement: édifice multifonctionnel 617, rue Saint-Rémi, Montréal	**136**
1906	Marchand et Haskell	Terminal Warehousing and Cartage Co. 20-50, rue des Soeurs-Grises, Montréal	**188**
1906		Biscuiterie Viau actuellement: Les Aliments Grissol (1975) Ltée 4951, rue Ontario est, Montréal	**244**
Vers 1906		R. E. J. Pringle Co. actuellement: édifice multifonctionnel 3450-3510, avenue Lionel-Groulx, Montréal	**168**
1907		Redpath Sugar Refinery actuellement: Les Sucres Redpath Limitée 1720, rue du Canal, Montréal	**170**
1908	Mitchell & Creighton	Édifice Lyman 286, rue Saint-Paul ouest, 281-285, place d'Youville, Montréal	**18**
1908	D. Jerome Spence	Mount Royal Spinning Wool Company Limited actuellement: The Dominion Textile Company 5524, rue Saint Patrick, Montréal	**152**
1908	Charles A. Reeves	National Licorice Company 4211-17, rue de Rouen, Montréal	**234**
1909		Darling Bros Ltd. actuellement: Darling Duro Ltée 140, rue Prince, Montréal	**106**
1909		Dupont et Frères 2037, avenue Aird, Montréal	**216**

1909		Canadian Spool Cotton Co. actuellement: J. P. Coats (Canada) Ltd. 421, boulevard Pie-IX, Montréal	**212**
1909		James Muir actuellement: Aldan International Co. Ltd. 2251-2323, avenue Aird, Montréal	**232**
1909	C. F. Hettinger	John H. R. Molson & Brothers' Brewery actuellement: Les Brasseries Molson du Canada Limitée 1650, rue Notre-Dame est, Montréal	**226**
1909		Poliquin et Gagnon 2194, avenue de LaSalle, Montréal	**236**
1910		Steel Company of Canada Limited 11-35, rue Charlevoix, 2320, rue Notre-Dame ouest, Montréal	**184**
1910		Caron et Frères 1179, rue de Bleury, Montréal	**44**
1911	W. B. MacLean, ingénieur	J. C. McLaren Belting Co. 6868, avenue de l'Épée, Montréal	**272**
1911		Catelli Ltée actuellement: Shiff and Co. Inc. 305, rue de Bellechasse est, Montréal	**262**
1911	Lockwood, Greene and Company (Boston)	Gillette Building 1085, rue Saint-Alexandre, Montréal	**52**
1911		Wilson Building 1061, rue Saint-Alexandre, Montréal	**74**
1911		Montreal Dairy Co. Ltd. actuellement: fabrique de meubles 1930, rue Papineau, Montréal	**230**
1911	Howard C. Stone	United Shoe Machinery actuellement: United Shoe Machinery Limited 2610, avenue Bennett, Montréal	**242**
1912		Dominion Flour Mills Co. Ltd. actuellement: La Coopérative Fédérée du Québec 4350-4394, rue Saint-Ambroise, Montréal	**108**

1912	David J. Spence	Unity Building 454, rue de La Gauchetière ouest, Montréal	**72**
1912	Dufort et Décary	Vineberg Building actuellement: Berman Building 4060, boul. Saint-Laurent, Montréal	**280**
1912	Hutchison, Wood & Miller	Sommer Building 416-440, boulevard de Maisonneuve ouest, Montréal	**64**
1912	Finley & Spence	Édifice Belgo 352-392, rue Sainte-Catherine ouest, Montréal	**36**
1912	Ross et MacFarlane	Read Building 420, rue de La Gauchetière ouest, Montréal	**62**
1913		Northern Electric Co. Ltd. actuellement: Centre industriel Nordelec 1730-1736, rue Saint Patrick, Montréal	**162**
1913	William Arrols of Clyde	Canadian Vickers 3400, rue Notre-Dame est, Montréal	**214**
1913	Brown et Vallance	Montreal Herald Building actuellement: The Canada Building 455-465, rue Saint-Antoine ouest, Montréal	**24**
1913		Canadian Bag Company actuellement: Overseas Chemical Co. Ltd. 2491, rue Saint Patrick, Montréal	**94**
1916	D. R. Brown et Hugh Vallance	Southam Building 1070, rue de Bleury, Montréal	**66**
1916		British Munitions Supply Co. actuellement: Verdun Industrial Building 425, rue River, Verdun	**86**
1917		Laura Secord 869-875, avenue Viger est, Montréal	**60**
1917		American Can Co. 2030-32, boulevard Pie-IX, Montréal	**198**

1918		Garden City Press 1, rue Pacifique, Sainte-Anne-de-Bellevue	304
1919	Brown et Vallance	Crane Co. Limited 2240-50, rue Pitt, 3820, rue Saint Patrick, Montréal	100
1920		Knit-To-Fit Co. actuellement: Grover Knitting Mills Limited 2025, rue Parthenais, Montréal	220
1921	McDougall & Pease	Food Specialists of Canada Ltd. actuellement: Park Avenue Building 6201, avenue du Parc, Montréal	268
1922	John S. Metcalfe, ingénieur	Entrepôt frigorifique du Port de Montréal Port de Montréal (face à la rue Berri), Montréal	50
1923	McVicar et Heriot	Caron Building 2050-2060, rue de Bleury, Montréal	42
1923	F. G. Robb	Drummond McCall Company Limited 930, rue Smith, Montréal	116
1924	Jean-Julien Perrault et J. R. Gadbois	Bernard Avenue Garage Ltd. actuellement: Le Clos Saint-Bernard (logements en copropriété) 1169, avenue Bernard, Outremont	258
1924	Louis A. Amos	William Dow Brewery Co. actuellement: La Brasserie O'Keefe 990, rue Notre-Dame ouest, Montréal	110
1924		St. Lawrence Warehousing Co. actuellement: Van Horne Warehouses Incorporated 35, avenue Van Horne ouest, Montréal	278
1924		Montreal Tramway Co. actuellement: Édifice de la division Mont-Royal — CTCUM 4505, rue Fullum, Montréal	274
1924	Hutchison & Wood	Toilet Laundry Co. Ltd. actuellement: vacant 750, rue Guy, Montréal	68

1924	John S. Metcalf Co. Ltd. ingénieurs	Élévateurs à grains no 3 actuellement: Phenix Flour Ltd. 3800, rue Notre-Dame est, Montréal	**218**
1926		Ateliers municipaux de la rue des Carrières 1610, rue des Carrières, Montréal	**254**
1927	W. H. Wardwell	Ronalds Co. Ltd. 6300-6306, avenue du Parc, Montréal	**276**
1927	Sydney Comber	Elmhurst Dairy Ltd. actuellement: Laiterie Sealtest 7460, rue Saint-Jacques ouest, Montréal	**300**
1928	Ingénieurs de la Montreal Light Heat and Power Consolidated	Montreal Light Heat and Power Consolidated actuellement: Poste Atwater arrière du 3013, avenue Verdun, Verdun	**150**
1928	A. Nosworthy	Bristol Myers Company 3033-35, rue Saint-Antoine ouest, Westmount actuellement: Institut Technique Aviron	**84**
1928	T. Pringle and Son, ingénieurs	Alexander Murray & Co. Ltd. actuellement: Archivex Inc. 4005, rue de Richelieu, Montréal	**154**
1929		Kraft Phoenix Cheese Co. Ltd. et Montreal Upholstering Co. actuellement: édifice multi-fonctionnel 20-40, Chemin Bates, Outremont	**270**
1929	David Robertson Brown	Desbarats' Building (The Gazette) actuellement: Wheatley & Wilson Limited 476-480, rue de La Gauchetière ouest, Montréal	**46**
1929	Kenneth G. Rea	Coca-Cola Company of Canada actuellement: Ateliers municipaux de la Ville de Montréal 200-300, rue de Bellechasse, Montréal	**264**

Remerciements

Le Service de la planification du territoire exprime sa plus vive gratitude aux organismes et aux individus qui, en nous donnant accès à leurs dossiers, ont facilité la réalisation de cet ouvrage.

Le Directeur,
Guy Gravel

Édition:
Service de la planification du territoire

Prix: 5,00 $

Dépôt légal, troisième trimestre 1982
Bibliothèque nationale du Québec
ISBN 2-920295-ll-X

On peut se procurer cet ouvrage
en personne à l'endroit suivant:
    Communauté urbaine de Montréal
    Service de la planification du territoire
    2, Complexe Desjardins, 19e étage
    Montréal

ou par la poste à l'adresse suivante:
    Communauté urbaine de Montréal
    Secrétariat général
    2, Complexe Desjardins, 21e étage
    Montréal
    H5B 1E6

10
6964X5

Imprimé au Canada